Walter Kuhn

Ich liebe das Reise

CW00857398

Walter Kuhn

Ich liebe das Reisen

Highlights eines bewegten Reiselebens

Cover: Foto aus der Sammlung von Peter Valenta

Das Foto entstand am 30. August 1979 während des Pachamanca-Essens in einer Gaststätte bei Santa Rosa de Chives in Peru. Es wurde mit der Kamera meines Freundes Peter Valenta aufgenommen, der links im Bild zu sehen ist. Daneben sitzt der Autor des Buches, Walter Kuhn, damals 29 Jahre alt. Willi Recker, der mit uns auf Reisen war, und unser peruanischer Bekannter Cäsar Anaya folgen am Tisch rechts. Die Geschichte dazu lesen Sie auf S. 19.

Bibliografische Information der Deutschen Nationalbibliothek:
Die Deutsche Nationalbibliothek verzeichnet diese Publikation in der Deutschen Nationalbibliografie; detaillierte bibliografische Daten sind im Internet über http://dnb.dnb.de abrufbar.

© 2021 Walter Kuhn

Lektorat: Silke Kuhn
Herstellung und Verlag: BoD – Books on Demand, Norderstedt

ISBN: 978-3-7534-8226-2

Inhaltsverzeichnis

VORWORT

"Nur Reisen ist Leben, wie umgekehrt das Leben Reisen ist."

Jean Paul (1763 - 1825)
Deutscher Schriftsteller und Dichter

Ich liebe das Reisen. Mich hat es stets dazu gedrängt, anderen, fremden Menschen und Kulturen selbst live und vor Ort zu begegnen. Ich ließ mich gerne überraschen von ungewohnten Speisen oder von nicht eingeplanten und deshalb umso interessanteren Ereignissen. Von manchen Reisezielen hatte ich geträumt und mir diesen Traum dann irgendwann erfüllt. Von anderen Ländern wusste ich vorher nicht all zu viel, ließ mich erst in der unmittelbaren Vorbereitung und dann während der Reise von Land und Leuten begeistern. Wieder andere Ziele waren mit positiven oder negativen Vorurteilen belegt und erst im Verlauf einer Reise konnten solche Vorstellungen gerade gerückt werden.

Ich kenne sehr wohl Menschen, die es vorziehen, im Urlaub zu Hause zu bleiben. Das hat Vorteile und kann Erfüllung schenken. Auch ich war immer gerne daheim und bin besonders nach längeren Reisen wieder gerne zurück gekommen. So schön das Weltenbummeln ist, es birgt sehr wohl so manche Entbehrung und Unannehmlichkeit. Natürlich schläft man in seinem eigenen Bett am besten; natürlich fühlt man sich in den eigenen vier Wänden geborgen und wohl - schließlich hat man einiges dafür getan und sich sein Heim nach seinen eigenen Wünschen eingerichtet.

Eines möchte ich aber betonen: Enttäuscht war ich nach einer Reise nie! Vielleicht habe ich einmal gesagt: "Schön, dass ich hier war. Ein zweites Mal muss ich da aber nicht hin." Einen richtigen Fehlschlag, eine tiefe Enttäuschung, habe ich jedoch nie erlebt. Die Natur hat mich nämlich mit einer ausreichenden Portion Flexibilität ausgestattet, die mir in solchen Fällen die Möglichkeit gab, das Beste daraus zu machen, selbst wenn mal etwas schief gegangen war.

Eine Hitliste der schönsten Reiseziele zu erstellen, ist meiner Meinung nach gar nicht möglich und auch nicht sinnvoll. Jeder erlebt ein Land mit anderen Erwartungen. Persönliche Gefühle und Stimmungen beeinflussen unser Erleben. Zufällige bereichernde Begegnungen, andauernde beste Witterungsverhältnisse, begeisternde Reiseführer (oder gerade die gegenteiligen Erfahrungen davon) lassen uns natürlich einen völlig unterschiedlichen Eindruck von einem Land und seinen Bewohnern gewinnen.

In diesem Buch möchte ich meine Leser teilhaben lassen an einigen meiner Reise-Highlights. Zwar stellte ich alle meine Geschichten in den Kontext der jeweiligen Reise, doch war es nicht meine Absicht, jeweils den gesamten Urlaub bis ins Detail zu beschreiben. Ich wählte nur Szenen aus, die Außergewöhnliches, Überraschendes oder Kurioses boten. Immer wenn ich mich an diese Erlebnisse erinnere, läuft ein Film vor meinem inneren Auge ab, der mich dann auch kleinste Details nacherleben lässt. Hoffentlich gelingt es mir, Sie, liebe Leserin, lieber Leser, daran ein wenig teilhaben zu lassen. Viel Freude auf dieser Weltreise!

PERU

MIT DEM ZUG NACH MACHU PICCHU UND ZURÜCK!

Eine Reise nach Peru im August des Jahres 1979 ist mir noch in lebhafter Erinnerung. Gemeinsam mit befreundeten Kollegen war ich vier Wochen lang in diesem südamerikanischen Land unterwegs. Lima, Arequipa, Puno am Titicaca-See, die Hauptstadt des Inka-Reichs Cusco, Huaraz, Tingo Maria und Pucallpa im Amazonas-Urwald waren die Fixpunkte auf dieser abenteuerlichen Rundreise. Gekrönt wurde sie mit dem Besuch der Ruinenstadt Machu Picchu. Von der Zugfahrt dorthin und ganz besonders von den Ereignissen bei der Rückfahrt nach Cusco möchte ich nun erzählen.

Von Cusco (3416 m ü. N.N.) aus, der einstigen Hauptstadt des riesigen Inkareichs, war wie selbstverständlich ein Abstecher zur Ruinenstadt Machu Picchu geplant. Die ursprüngliche Absicht, auf dem Weg dorthin ein Stück des historischen Inka-Pfades zu gehen, mussten wir kurzfristig fallen lassen. Der Grund für diese Planänderung: Im Tourismusbüro der Stadt konnte man uns nicht zusichern, dass bei Kilometer 107 die Überquerung des Urubamba-Flusses beim dortigen Wasserkraftwerk wieder möglich war. Man vermutete eine noch andauernde Sperrung dieses Übergangs.

Unser Plan lautete nun wie folgt: Wir wollten mit dem täglich einmal verkehrenden Zug von Cusco nach Machu Picchu fahren, dort irgendwo ein Hotelzimmer beziehen und dann am nächsten Tag - ohne Heerscharen anderer Touristen - den Sonnenaufgang in Machu Picchu erleben. Am Nachmittag sollte es dann wieder mit dem Zug zurück nach Cusco gehen. Deshalb kauften wir am Bahnhof lediglich eine einfache Fahrt nach Machu Picchu. Wir genossen die Anreise im relativ modernen Zug und vertrieben uns die fast 4 Stunden dauernde Fahrtzeit mit einer Runde Schafkopf und einem kühlen Cerveza, wie das Bier auf spanisch heißt. Einen Kulturschock versetzte mir übrigens der junge peruanische Kellner im Zug, den ich dabei beobachtete, dass er alle leeren Flaschen und Dosen einfach dadurch entsorgte, dass er ein Zugfenster öffnete und den gesamten Müll auf seinem Tablett in die vorbeirauschende Landschaft warf. Von Umweltschutz hatte er 1979 noch nichts mitbekommen.

Die Estacion Puente Ruinas am Ende dieser eingleisigen Zugstrecke liegt direkt unterhalb der weltberühmten Inkaruine. Drei von uns wollten etwa 2 km vorher am Bahnhof des kleinen Örtchens Aquas Calientes aussteigen, um das Hotelzimmer zu reservieren. Der Vierte sollte im Zug bleiben und unsere Kameras mitnehmen. Nach der Hotelbegutachtung wollten wir drei dann den Rest der Strecke zu Fuß zurücklegen.

Da der Zug ein reiner Touristentransport mit ca. 3000 Machu Picchu - "Pilgern" war, hatte er unterwegs nicht an einer einzigen der zahlreichen Haltestellen angehalten. Ungefähr eine halbe Stunde vor dem Ende der Fahrt machte ich mich deshalb auf den Weg zur Lokomotive, um mit dem Fahrer einen Stopp in Aquas Calientes zu vereinbaren. Durch die Glastüre am vorderen Ende des ersten Waggons konnte ich ihn schon sehen und auch er blickte in diesem Moment nach hinten zu mir. Mit der für Südamerika typischen Handbewegung, die ich zunächst als Abweisung interpretierte, erlaubte er mir wiederholt und sehr freudig, die Türe zu öffnen und zu ihm auf die Dampflok zu steigen. Eine schwierige Situation stand vor mir, denn mein Spanisch war damals – und ist es bis heute – sehr rudimentär. Ich versuchte es: "Señor, somos tres personas. Es possible stopp en aquas calientes?" "Si, tres personas ! Stopp en aquas calientes. Si, si!" Hatte er mich verstanden? Ich hoffte es, winkte ihm freundlich zu und verabschiedete mich mit einem unsicheren "Gracias señor!"

Auf dem Weg zurück in unser Abteil fiel mir auf, dass Bewegung in die Touristenscharen gekommen war. An allen Ausgängen hatten sich, dicht gedrängt, Trauben von Menschen gebildet. Was war geschehen? Meine drei Reisegenossen erklärten es mir: Die Reiseleiter der verschiedenen Gruppen hatten ihre Schützlinge dazu aufgefordert, sich zu den Ausgängen zu begeben, um so zu den Ersten zu gehören, die in Machu Picchu aussteigen konnten. An der Endstation wollten alle wieder zu denen gehören, die zuerst in die ca. 20 bereit stehenden Kleinbusse kamen, die dann den Transport hoch zur Ruine übernehmen sollten. Eine nicht befestigte Straße mit 13 Serpentinen überwindet die 600 Höhenmeter zwischen Bahnhof und Ruine.

Ratlos schauten wir uns an. Was sollten wir jetzt tun. Es schien unmöglich, den Zug in Aquas calientes zu verlassen. Zu groß der Stau vor allen Türen. Die anderen drei wollten die Pläne ändern, doch ich war nicht bereit aufzugeben. Meine Vereinbarung mit dem Lokomotivführer stand! Ich nahm zwei unserer Rucksäcke und forderte meine zwei Freunde auf, mir zu folgen. Jedem Zweiten musste ich erklären, warum wir zum Ausgang wollten, hier auf englisch, dort auf deutsch, dann auf spanisch. Ich beteuerte, dass wir gar nicht bis zur Endstation fahren wollen. Meine Behauptung, dass wir schon in Aquas calientes aussteigen wollten, wurde misstrauisch belächelt. Ein Reiseleiter rief: "Der Zug hält doch überhaupt nicht in Aquas calientes! Die wollen doch nur vor!" Ein schwerer Kampf! Doch nun nahte Aquas calientes, die Lok verminderte das Tempo, die Bremsen quietschten, der Zug hielt, wir hatten gesiegt. Noch zwei, drei Leute vor uns, die angesichts des haltenden Zuges - etwas mürrisch zwar, aber dann doch - den Weg freigeben mussten.

Das Backpacker-Hostel, das wir von Cusco aus vorbestellt hatten, war schnell gefunden. Wir ließen unsere Rucksäcke in unserem Zimmer zurück, nachdem wir sie zum Schutz gegen etwaiges Ungeziefer an Nägeln hoch gehängt hatten. Auf den Gleisen der Bahnlinie näherten wir uns - jede zweite oder dritte Bahnschwelle nehmend - der Estacion Puente Ruinas, wo unser vierter Mann froh war, dass wir kamen und ihm unsere Kameras wieder abnahmen. Er hatte sich in ein kleines Restaurant am Busparkplatz gesetzt und auch wir bestellten eine erfrischende Cola - nach dem Fußmarsch eine willkommene Abkühlung.

In dem Lokal warteten noch weitere Touristen darauf, dass die Busse wieder zurück kamen, um auch die restlichen Fahrgäste nach oben zur Inkaruine zu bringen. Das Gesicht eines älteren Mannes am Nachbartisch kam mir irgendwie bekannt vor. Ein deutscher Politiker vielleicht? Gemeinsam überlegten wir und waren uns fast sicher, dass es unser ehemaliger Bundesjustizminister Richard Jäger war. Ich beugte mich zu ihm hinüber und fragte: "Sind sie's oder sind sie's nicht?". "Ja, ich bin's; aber, dass mich hier in Peru jemand erkennt, hätte ich nicht gedacht."

Wir kamen miteinander ins Gespräch und er stellte mir auch seine Frau und die Männer in seiner Begleitung vor: den deutschen Botschafter Hans-Werner Loeck und dessen Sohn. Herr Jäger fragte mich im Verlauf der Unterhaltung, ob wir schon wüssten, dass für den nächsten Tag in ganz Peru ein Generalstreik angekündigt sei. Bei großen Demonstrationen in Lima am vorangegangenen Tag war ein junger Student von der Polizei erschossen worden. Das gesamte öffentliche Leben würde zum Stillstand kommen und sogar der Zugverkehr nach Machu Picchu höchstwahrscheinlich morgen eingestellt. Herr Loeck und er müssten jedoch einen Tag später offizielle Termine wahrnehmen, und so bot er uns an, dass wir die beiden Zimmer, die sie lange vorher gebucht und bezahlt hatten, kostenlos übernehmen könnten. Es handelte sich hierbei um ein kleines Hotel direkt oben am Eingang zur Ruinenstadt!

Was für ein verlockendes Angebot! Wir könnten am Abend und am nächsten Morgen die Anlage von Machu Picchu ohne weitere Touristen erleben. Unsere Rucksäcke könnten wir ja am Nachmittag noch holen. Mit dem nächsten freien Bus fuhren wir die Serpentinenstraße hoch zu dem lang ersehnten Ziel. Wir hatten jetzt ja Zeit! Deshalb steuerten wir zunächst das Hotel an, bestellten uns noch einmal etwas zu trinken. Dann das Gespräch mit dem Hotelbesitzer und prompt die erste Enttäuschung: Wenn wir die Zimmer von Herrn Jäger nutzen wollten, müssten wir die (ohnehin überhöhten) Preise noch einmal bezahlen. Was tun? Erste Zweifel stiegen in uns hoch. Was wäre, wenn morgen tatsächlich kein Zug zurück nach Cusco führe? Dann würden wir ja unseren Flug nach Lima verpassen, der einen Tag später vorgesehen war. Sollten wir dieses Risiko eingehen?

Mehr und mehr wurde uns klar: Das können wir nicht riskieren! Das würde ja unsere Reisekasse plündern und den weiteren Verlauf des gesamten Peru-Abenteuers gefährden. Plötzlich wurde uns klar, dass es erstens jetzt "höchste Eisenbahn" für die Besichtigung von Machu Picchu war und dass auch wir noch heute zurück nach Cusco fahren mussten. Peter Valenta, der für unsere Reiseplanung verantwortlich gezeichnet hatte, erklärte sich sofort bereit, nach einer Blitz-Erkundung der Ruinenstadt zurück nach Aquas calientes zu laufen und unsere Rucksäcke zu holen. Ich sollte wieder dafür sorgen, dass der Zug in Aquas calientes halten würde, damit er dort zusteigen könne. Nach meiner Zusage trennten wir uns und hasteten mit unseren Super-8-Kameras durch Machu Picchu auf der Suche nach den schönsten Motiven für die Freunde daheim. Hatte ich noch eine knappe Stunde? Genau weiß ich es heute nicht mehr. Bis auf die letzte Minute reizte ich die Gelegenheit aus, diese wenig später zum Weltkulturerbe erklärte Sehenswürdigkeit für mich und meinen Peru-Film zu erobern.

Erbaut wurde die Stadt einer Theorie zufolge um 1450 auf Befehl des Inka-Herrschers Pachacútec Yupanqua. Er schuf die Grundlagen für die Ausdehnung des mächtigen Inkareiches und führte den Kult um den Sonnengott Inti ein. Die Stadt umfasste einst 216 steinerne Bauten, die auf

Terrassen gelegen und mit einem System von Treppen verbunden waren. Die meisten Terrassen und etwa 3000 Stufen sind ebenso bis heute erhalten, wie auch die Außenmauern der Tempel und die zum Teil mehrgeschossigen Wohnbauten. Sie sind voll funktionsfähig und in den letzten Jahren nach und nach in inkatypischer Bauweise rekonstruiert worden. Die Forschung geht heute davon aus, dass die Stadt in ihrer Hochblüte bis zu 1000 Menschen beherbergen und versorgen konnte. Über den Sinn und Zweck dieser Stadt wurden verschiedene Theorien entwickelt. Am 24. Juli 1911 wurden die Ruinen von einer Expedition der Yale University durch Zufall wiederentdeckt. Die Siedlung war von dichter Vegetation überwuchert. (Quelle: Wikipedia)

Für 15 Uhr war die Abfahrtszeit des Zuges festgelegt. Mir gelangen noch einige Film-Szenen, auf denen fast keine Touristen mehr in der Anlage zu sehen sind, denn jeder wollte natürlich wieder rechtzeitig bei den Pendelbussen sein. Schweren Herzens und als einer der letzten Besucher musste auch ich Abschied nehmen aus Machu Picchu. Als ich den Busparkplatz erreichte, fuhr gerade der letzte der 20 Busse wieder in Richtung Tal ab. Neben mir stand der Sohn des Botschafters und wir waren uns mit wenigen Blicken und Worten einig, dass wir nicht warten, sondern den Rückweg zu Fuß angehen wollten. Einer meiner Freunde übernahm dankenswerter Weise meine Kamera und mein Stativ und schon konnte es los gehen.

Steil war der Abstieg. Meterhohe Steinblöcke reihten sich in völlig ungeordneter Folge aneinander den Abhang hinunter. Dazwischen lose Erde und Geröll. Gestrüpp und wild wachsendes Grünzeug direkt daneben. Für einen damals 29-jährigen Sportler wie mich eine echte Herausforderung. Schon auch ein gefährliches Unterfangen, diese Diretissima hinunter zum Fluss und zur Estacion Puente Ruinas unter gewissem zeitlichen Druck zu meistern. Und wie frustrierend ist es dann, wenn dich alle zwei Minuten immer wieder die gleichen drei 8-jährigen Indio-Jungen im Renntempo überholen. Sie warteten an jeder Serpentinen-Kehre auf den gleichen Pendelbus, winkten den Touristen zu, um dann unten am Bahnhof für ein kleines Trinkgeld die Hand aufhalten zu können. In meinen Gedanken sah ich mich schon - quasi als meine eigene Belohnung für die selbst auferlegten Strapazen - mit einem kühlen Bier in der Hand und den bloßen Füßen im Urubamba am Ufer sitzen.

Da hatte ich aber die Rechnung ohne den "Wirt" gemacht. Ich hatte im Eifer des Abstiegs ganz vergessen, dass wir ja noch überhaupt keine Fahrkarten für die Strecke zurück nach Cusco unser Eigen nennen konnten. Anstelle mit einem Cerveza am Fluss zu sitzen, fand ich mich also wohl oder übel mit dem Geldbeutel in der Hand an dem kleinen Fahrkartenschalter wieder. Mein Durst war inzwischen fast unerträglich geworden. Vier Leute waren noch vor mir an der Reihe. Geduld! Dann geschah, was nicht geschehen durfte: Noch eine Person stand vor mir in der Schlange, als der Kartenverkäufer zuerst abwinkte, dann sagte: "No mas entradas!" und einen Holz-Rolladen herunter ließ mit der Aufschrift "Cerrado" - "Geschlossen!"

Ich fiel aus allen Wolken. Das durfte nicht wahr sein! Wir mussten doch zurück nach Cusco! Und wie wird Peter reagieren, wenn der Zug in Aquas calientes nicht hält? Damals gab es keine Handys, mit denen wir in Kontakt hätten treten können. Plötzlich kam mir eine Idee: Der deutsche Botschafter ist doch im Zug, der kann uns helfen! Ich rief meine beiden Reisekollegen zu mir und machte ihnen die Situation klar. Sie bekamen den Auftrag, den Botschafter Loeck zu suchen und ihn zu mir an den Fahrkartenschalter zu bitten. Ich hatte Herrn Dr. Jäger und ihn am dritten oder vierten Waggon stehen sehen. Und tatsächlich kam Herr Loeck wenig später heraus und versuchte gleich die Sache in unserem Sinn zu lösen. Er stellte sich dem Bahnbeamten vor, zeigte ihm seinen Diplomatenausweis, bat ihn, noch 4 Tickets für uns heraus zu schreiben, und bedankte sich freundlich. Zu mir gewandt meinte er: "Na, es scheint ja zu funktionieren. Ich gehe schon mal zurück ins Abteil. Wünsche Ihnen eine gute Rückfahrt und alles Gute für Ihren Aufenthalt in Peru!" Mit diesen Worten verabschiedete er sich, aber kaum war er ein paar Schritte weg, packte der Schaffner seine Tickets wieder ein, schüttelte bedauernd seinen Kopf und verschloss sein Fensterchen erneut mit dem erwähnten Rolladen - "Cerrado!". Ratlos stand ich da, der Verzweiflung nahe!

In diesem Moment bemerkte ich, dass sich ein kleinerer Mann klammheimlich dicht neben mich gestellt hatte. Er schaute mir freundlich ins Gesicht. War es seine Dienstkleidung oder erinnerte ich mich nun an seine Gesichtszüge? Tatsächlich! Es war der Lokomotivführer von heute Morgen! Er flüsterte mir ein kaum hörbares "Lokomotivo!" zu und machte eine auffordernde Kopfbewegung in Richtung seines Arbeitsplatzes. So langsam kapierte ich, was er wollte, und begann ihm zu folgen. Meine Begleiter, die das Geschehen aus einiger Distanz beobachtet hatten, kamen uns nach einem kurzen Zögern nach. Wir erreichten die schwarze Dampflok, der Peruaner kletterte hoch und dann die nächste Überraschung: "No Entrada! No!" Dazu große abwehrende Gesten von oben! Ich verstand die Welt nicht mehr. Sollte ich mich so getäuscht haben? Was war los?

Da sah ich eine kleine Handbewegung des Lokomotivführers, die uns den Weg auf die andere Seite des Dampfrosses wies. Ich verstand! Er wollte verhindern, dass sein Kollege am Bahnsteig etwas mit bekam. So stiegen wir also über die Kupplung zwischen Lok und erstem Waggon auf die andere Seite, wo wir schon von ihm erwartet wurden, mit nun wieder freundlichem Gesicht, und er streckte uns seine Hände entgegen und half beim Aufstieg. Kaum hatten wir es geschafft, setzte sich der Zug auch schon in Bewegung. Wir wurden dem zweiten Besatzungsmitglied kurz vorgestellt. Auch der Heizer strahlte uns an, ohne seine Arbeit dabei groß zu unterbrechen. Uns wurden schnell drei Stehplätze zugewiesen, so dass wir den Betrieb nicht störten. Langsam rollte der Zug in Richtung Aquas calientes. Das erste Ziel war geschafft; wir waren im Zug und das sogar an privilegierter Stelle.

Doch wie sollte es jetzt gelingen, Peter Valenta auch noch auf die Lok zu bringen? Ich wandte mich an den Chef: "Pedro! Aquas calientes! Stopp!" Andere passendere Vokabeln fielen mir nicht ein. Die Reaktion: "Si, si, Pedro. Aquas calientes. Stopp!!", so wiederholte er meine Worte und nickte eifrig mit dem Kopf. Er schickte mich zu meiner totalen

Überraschung aus dem Führerhaus hinaus auf einen kleinen Gang, der, von einer Reling begrenzt, bis vor zur Spitze der Lokomotive führte. Unsicher hangelte ich mich am Geländer voran. Nur gut, dass der Zug nur im Tempo eines langsamen Fahrrades unterwegs war. Es näherten sich die ersten Häuser von Aquas calientes. Da der Bahnhof! Wo ist Peter? Von weitem konnte ich ihn erkennen, denn kein anderer auf dem Bahnsteig hatte eine Kamera und vier Rucksäcke am Körper, und dazu der unverkennbare graue Schlapphut, den Peter immer trug. Jetzt entdeckte er mich, der ich wie eine Gallionsfigur den Zug anführte.

Meine Handzeichen waren eindeutig. Peter sollte das Gleis übersteigen und auf der dem Bahnsteig abgewandten Seite später die Lok besteigen. Ich habe Peter nie gefragt, was ihm in diesen Sekunden und Minuten durch den Kopf gegangen war. Auf jeden Fall hatte er verstanden und wechselte auf die in Fahrtrichtung linke Seite. Er rannte jetzt mit all unserem Gepäck auf einem recht unebenen Erdweg neben mir her. Warum hielt der Zug jetzt nicht? Hatte der Lokführer mich richtig verstanden? Es nutzte nichts! Peter musste auf den langsam fahrenden Zug irgendwie aufspringen. Zwei Rucksäcke warf er hoch, mit seiner freien Hand fasste er die Reling und zog sich mit meiner Hilfe hoch. Geschafft! Und was wir nur hatten hoffen können, aber eben nicht sicher wussten, trat jetzt doch ein: Der Zug bremste mit lautem Quietschen und hielt an. Warum auch immer! Ganz anders als geplant, anders als vom Botschafter vermeintlich erwirkt, doch letztlich wie gewünscht: Die Rückfahrt zur alten Hauptstadt des Inkareiches, nach Cusco, war gesichert.

Kurze Zeit später: Ein lang gezogener Pfiff, heftiges Dampfen, es ging weiter! Sechs glückliche Männer führten den Machu Picchu - Zug an auf der Fahrt durch die mehr und mehr von der Abendsonne beleuchteten Andengipfel. Zwei verschmitzt lächelnde peruanische Bahn-Bedienstete, die einen unbesteuerten Nebenverdienst jetzt sicher hatten, und vier bayerische Schullehrer, die froh waren, vor dem drohenden Generalstreik doch noch nach Cusco zurück zu kommen, um ihre Reise durch Peru wie geplant fortsetzen zu können. Die beiden

Zugführer erkannten unseren Hunger und Durst und teilten zu unserer Verwunderung ihre Tacos aus der Brotzeitbox und ihren Tee aus der Thermoskanne mit uns. Die deutschen Gringos durften alle einmal die Mütze des Zugführers aufsetzen und eine Zeitlang am Steuer der Lokomotive für ein Foto posieren. Wir spürten eine gewisse Verbundenheit und als wir den beiden am Ende der Fahrt den geschätzten Fahrpreis in die Hand drückten, war ihre Freude groß.

In Cusco angekommen sahen wir noch einmal das Ehepaar Jäger sowie Vater und Sohn Loeck. Wir winkten ihnen von weitem dankbar zu. Sie werden nie erfahren haben, wie wenig doch der Diplomatenpass bewirkt hatte und auf welche abenteuerliche Weise wir es geschafft hatten, ebenfalls noch am gleichen Abend Cusco zu erreichen. Übrigens: Am nächsten Tag kam es wirklich zum Generalstreik. Wir erlebten eine gereizte Atmosphäre, wir begegneten Wasserwerfern, sahen Tränengaswolken und das öffentliche Leben war weitgehend lahm gelegt. Später erfuhren wir jedoch, dass das Einzige, was trotzdem aufrecht erhalten wurde, der Transport der Touristen nach Machu Picchu war. Wir hätten also die Ruinenstadt ganz anders erleben können, hätten dann aber wohl nicht die Gelegenheit bekommen, auf einer Dampflok durch die Anden zu fahren.

PERU

PACHAMANCA – DAS PERUANISCHE SPANFERKEL

Der 30. August hat in ganz Peru einen hohen Stellenwert; es ist der Gedenktag der Heiligen Rosa von Lima. Die Heilige Rosa ist die Schutzpatronin Perus und auch Schutzfrau für ganz Südamerika. Über 70 Städte und Dörfer des Landes tragen sogar in irgendeiner Weise den Namen der peruanischen Mystikerin des 17. Jahrhunderts, so auch die Kleinstadt Santa Rosa de Chives in den Bergen ca. 40 km nordöstlich der Hauptstadt Lima. Im Verlauf meiner Perureise 1979 hatte ich die Gelegenheit, diesen Festtag der Heiligen Rosa in Santa Rosa de Chives mitzuerleben. Wir hatten Kontakt aufgenommen zu der Familie der Peruanerin Gladys Anaya, die damals in Würzburg ein Berufspraktikum absolvierte und uns freundlicher Weise die Telefonnummer und Adresse ihrer Familie übergeben hatte. Ihr Bruder, Cäsar Anaya, war auch gerne bereit, für uns den Fremdenführer zu spielen. Er erzählte uns unter anderem von dem Fest in Santa Rosa de Chives und bot uns an, mit uns den 30. August 1979 in dieser Bergregion zu verbringen. Die Einladung nahmen wir vier gerne an und so holte uns Cäsar am frühen Morgen an unserem Hotel ab und wir zwängten uns in seinen Kleinwagen.

Wir verließen Lima in Richtung Norden und stellten fest, dass wir nicht die Einzigen waren, die dieses Ziel Santa Rosa de Chives ansteuerten. Als die Straßen enger wurden, trauten wir unseren Augen kaum: Selbst auf der kurvenreichen, einspurigen Bergstraße 20 bildete sich eine zweispurige Kolonne derer, die alle das gleiche Ziel hatten. Es funktionierte, denn kein einziges Auto wagte es, an diesem Morgen in der entgegengesetzten Richtung unterwegs zu sein. Cäsar erklärte uns seinen Plan für diesen Tag: Etwa 10 km vor Santa Rosa de Chives kannte er ein ausgezeichnetes Lokal, das in Kennerkreisen für die peruanische Nationalspeise "Pachamanca" berühmt war. Dort würde er jetzt auf der Hinfahrt kurz halten, die Pachamanca für 5 Personen vorbestellen und dann könne es weiter gehen zu unserem eigentlichen Tagesziel. Nach zwei oder drei Stunden könnten wir das Fest verlassen, die Pachamanca genießen und wieder zurück nach Lima fahren. Insgeheim liebäugelte ich noch mit dem Besuch des Fußball-Länderspiels zwischen Peru und Uruquay, das um 20.00 Uhr im Nationalstadion in Lima angepfiffen wurde. Mal sehen!

Das Essen war schnell bestellt und wir reihten uns wieder ein in die schier endlose Doppel-Schlange bergauf. Wir erreichten Santa Rosa de Chives und fanden mit einiger Mühe einen Parkplatz auf einer Wiese oberhalb des Dorfes. Der kurze Fußweg hinunter zum großen Festplatz rund um die Heiligtümer des Ortes war schnell zurückgelegt. Das Haus, in dem die heilige Rosa einige Jahre lang gewohnt hatte, die Kirche, in der sie getauft und gefirmt wurde und die Einsiedelei, in die sie sich zurückgezogen hatte, waren an diesem Tag umlagert von Tausenden von Menschen. Überall auf dem terrassierten Gelände gab es Verkaufsstände für Andenken, Speisen und Getränke. Von weitem sahen wir den Bischof von Lima, der gerade begrüßt wurde und dann eine Heilige Messe zelebrierte. Das Volksfest von Santa Rosa de Chives ging unterdessen aber weiter und wir konnten uns erfreuen an dem bunten Treiben.

Nach etwa 2 Stunden hatten wir genug gesehen, der Magen knurrte bereits in Vorfreude auf die Pachamanca, die ja für 13.30 Uhr vorbestellt war. Wir steuerten also wieder Cäsars Auto an, um die paar Kilometer zur Gaststätte zurückzulegen. Als wir das Fahrzeug wieder gefunden hatten, mussten wir jedoch feststellen, dass es von allen Seiten total eingeparkt war. Es gab absolut keine Möglichkeit in absehbarer Zeit mit dem Auto wieder zur Straße zu gelangen. Alle anderen Fahrer würden sich bestimmt noch stundenlang auf dem Festgelände aufhalten. Was also tun? Hier bleiben und die Pachamanca sausen lassen? Das kam für Cäsar nicht in Frage! Also mussten wir wohl zu Fuß zurück zum Restaurant "Inti Pacha"! Als wir die Straße und das Ende des Dorfes erreicht hatten, gab es aber eine elegantere Lösung: Santa Rosa de Chives war inzwischen nämlich überfüllt. Noch immer kamen Menschen aus Lima an, die schon weit vor dem Ort einsahen, dass sie unverrichteter Dinge wieder umkehren mussten. Cäsar fragte bei zwei Autos, ob die jeweiligen Fahrer bereit wären, uns die paar Kilometer bis zur Gaststätte mitzunehmen und es klappte auf Anhieb.

Rechtzeitig erreichten wir das Pachamanca-Lokal. Cäsar hatte uns schon den ganzen Morgen über den Mund wässrig gemacht, indem er uns zu erklären versuchte, was es mit dem peruanischen Nationalgericht auf sich habe, und jetzt konnten wir die letzten Teile der Zubereitung selbst beobachten. Die folgende Beschreibung habe ich im Wesentlichen aus der Homepage "reiserei.com" entnommen:

Pachamanca ist wahrscheinlich das peruanischste Gericht in ganz Peru! Es wurde vom Instituto Nacional de Cultura del Perú sogar zum nationalen Kulturerbe ernannt. Der Name stammt aus der indigenen Sprache Quetchua und bedeutet Erdtopf (Patcha = Erde, Manka = Topf). Es gibt kein Pachamanca-Rezept. Oder vielmehr gibt es so viele Rezepte, wie es Dörfer oder Familien in Peru gibt. Und von jedem Familien- oder Dorf-Rezept gibt es unzählige Varianten. Je nachdem, was es gerade an Zutaten gibt.

Traditionell werden die Zutaten genutzt, die die Natur gerade liefert. Die Zubereitung einer Pachamanca sieht extrem einfach aus, ist jedoch höchst komplex und erfordert bestimmte Regeln. Einerseits läuft man sonst Gefahr, dass nicht alle Zutaten gemeinsam gar sind, andererseits muss man bei der Zubereitung unbedingt Patcha Mama (Quetchua für Mutter Erde) danken. Im ersten Schritt muss man den Ofen bauen. Dazu wird ein ausreichend großes Erdloch gegraben und mit Steinen ausgekleidet. Anschließend wird in diesem Erdloch ein Feuer entzündet und mit Steinen abgedeckt. Über 6-7 Stunden wird immer wieder Holz nachgelegt, bis die Steine ausreichend heiß sind und nahezu glühen. Sind die Steine endlich heiß genug, werden sie mit Salzwasser besprenkelt und an die Seite des Erdlochs gelegt.

Nun kommt der wichtigste Teil der Pachamanca-Zubereitung: Alle Zutaten müssen in einer ganz bestimmten Reihenfolge geschichtet werden. Dazwischen kommen auch immer wieder die nahezu rotglühenden Steine. Die ersten Zutaten kommen ins Erdloch: Yuca, Käse und Ananas nach ganz unten, dazu immer wieder heiße Steine, Maiskolben und Kartoffeln dürfen nicht fehlen, das Fleisch kommt direkt auf die Steine. Obenauf noch Bohnen und Kräuter. Im letzten Schritt wird die Pachamanca noch mit Gräsern, Bananenblättern und Erde abgedeckt. Der Garprozess der Pachamanca dauert ca. 45 - 60 Minuten. Alles, was vorher geschichtet wurde, kommt nun in Tontöpfe. Natürlich passend sortiert.

Wir saßen im Außenbereich der Gaststätte durch ein paar Bäume vor der Nachmittagssonne geschützt und waren begeistert vom Geschmack dieses Gerichts. Das einheimische Bier kühlte unsere aufgeheizten Körper. Cäsar freute sich, dass seine Speiseempfehlung bei uns so gut ankam. Eine gute Stunde später machten sich Cäsar und ich nach Absprache wieder auf den Weg nach Santa Rosa, um das Auto zu holen. Ein paar kurze Handzeichen und ein vorbeifahrendes Fahrzeug hielt und wir konnten zumindest bis zum Stauende mitfahren. Es war vielleicht vier Uhr, als wir wieder am Auto standen. Die Lage unverändert! Weit und breit niemand zu sehen! Auf dem großen Bus-Parkplatz entdeckte Cäsar einige Busfahrer und wir gingen hinunter, um mal zu hören, wie lange das noch dauern könnte. Die Auskunft war ernüchternd: Nach dem Ende des Stierkampfs, der um fünf Uhr begann, würde sich das alles erst auflösen. Es half nichts - wir mussten warten. Wir besorgten uns eine Tasse Kaffee. Eine sparsame

Unterhaltung mit Händen und Füßen, denn Cäsar konnte kaum Englisch und ich kaum Spanisch. Die relativ kleine Stierkampfarena füllte sich. Später drangen die Olé-Rufe und der Beifall immer wieder an unser Ohr. Langsam setzte die Dämmerung ein.

Kurz vor 19.00 Uhr erst fand die Corrida ein Ende. Und jetzt strömten alle zu den wartenden Bussen und zu den Autos. Inzwischen war es stockdunkel. Nach einer weiteren halben Stunde konnten wir unser Auto starten und mussten dann erkennen, dass es keinen anderen Weg gab, als quer über den großen Parkplatz, der voll stand mit Fahrzeugen. Zu allem Übel hatte der Platz nur eine einzige schmale Ausfahrt gerade auf der gegenüberliegenden Seite. Durch dieses Nadelöhr mussten also Tausende von Autos hindurch. Der Stierkampf war zwar zu Ende, aber jetzt war ein anderer Kampf eröffnet, der Kampf um Zentimeter! Wie alle anderen Beifahrer saß auch ich inzwischen auf dem rechten Kotflügel und zeigte meinem Fahrer mit den Handflächen, wie viele Zentimeter noch unfallfrei möglich waren auf dem Weg zu einer besseren Position. Meine Gedanken schweiften immer mal wieder zu meinen Reisegenossen, die schon seit 15.00 Uhr am "Inti-Pacha" darauf warteten, dass wir wieder auftauchten, um sie mitzunehmen. Waren sie schon verzweifelt oder waren sie kurz davor?

Auch um 20.00 Uhr waren wir noch nicht am Nadelöhr. Jetzt begann in Lima das Länderspiel und ich war froh, dass ich den Anderen heute Morgen gar nichts von meinen Fußballwünschen gesagt hatte. Endlich war es soweit: Wir erreichten die Engstelle und es kam Bewegung ins Geschehen. Zwanzig Minuten später hielten wir an der Pachamanca-Gaststätte und nahmen den Rest der Gruppe wieder auf. Viel gesprochen wurde nicht! Jeder war sich wohl bewusst, was ein einziges falsches Wort jetzt auslösen konnte. Wir fädelten wieder ein in die Lichter-Schlange Richtung Lima.

Einige Kilometer und Kurven weiter meldete sich die Tankanzeige im Armaturenbrett von Cäsars Wagen. Nur gut, dass wir nicht alle spanischen Flüche und Ausdrücke verstehen konnten, die unser Fahrer in diesen Augenblicken von sich gab. Aber es half ja nichts: Der Tank hatte sich offenbar während des stundenlangen Positionskampfes in Santa Rosa de Chives schneller als üblich entleert. Wir brauchten relativ rasch eine Tankstelle. Hier in den kleinen Bergdörfern der Vor-Anden im Jahr 1979 waren solche Einrichtungen jedoch Mangelware und Cäsar wusste das!

Im nächsten Örtchen hielt er deshalb mit einiger Sorge und sichtbarer Nervosität an einem kleinen Lebensmittelladen in der Ortsmitte. Er stieg aus und sprach gewohnt gestenreich mit dem Besitzer, der sein Geschäft so spät am Abend auch wegen des hohen Rückreiseverkehrs noch geöffnet hatte. Wir Mitfahrer waren inzwischen ebenfalls ausgestiegen und beobachteten mit immer größer werdenden Augen, was jetzt geschah: Cäsar fuhr ein wenig näher heran an den Eingang und öffnete den Deckel am Einfüllstutzen seines Tanks. Der Ladenbesitzer trat an die große Tonne heran, die im Freien links vom Geschäftseingang stand, legte den runden Holzdeckel zur Seite und tauchte einen metallenen Messbecher tief in die Tonne. Mehrere Male entleerte er den Becher unter Zuhilfenahme eines Trichters in den Tank unseres Autos, bis Cäsar ein Zeichen gab, dass es genügte.

Schnell war bezahlt, dankbar verabschiedete sich Cäsar und weiter ging die Fahrt nach Hause. Lange schüttelten wir unsere Köpfe, denn einen solchen Tankvorgang hatten wir noch nie erlebt. Im Radio hörten wir, dass heute Abend die peruanische Nationalmannschaft den Favoriten Uruquay mit 2 : 0 geschlagen hatte. Ein wenig musste ich schmunzeln, als ich das vernahm. Dass ich nicht im Stadion dabei sein konnte, bereute ich jedoch in keiner Sekunde. Viel aufregender und spannender war das, was wir in den letzten Stunden live erleben durften. Gracias Cäsar!

PERU

... UND DIE MENSCHEN BRAUCHEN DEN RAUSCH, DER IHNEN DAS VERGESSEN ERMÖGLICHT.

Im Süden Perus, an der Grenze zu Bolivien, liegt der Titicaca See auf einer Höhe von fast 4000 m über dem Meeresspiegel im Altiplano, einer riesigen Hochebene der Anden. Nachdem wir uns zunächst in Arequipa auf 2300 m einige Tage lang an die Höhe gewöhnt hatten, überquerten wir den Anden-Hauptkamm bei einer nächtlichen Zugfahrt. Die Bahnstrecke erreicht dabei übrigens ihren höchsten Punkt mit 4470 m am Bahnhof in Crucero Alto. Das einmalige Erlebnis von Natur, Kultur und Menschen des Altiplano gipfelte in einer Fahrt von Puno aus nach Rosaspata an den Nordrand dieses größten Süßwassersees von Südamerika. Dort wird jährlich am 22. August, also genau eine Woche nach Mariä Himmelfahrt, ein traditionsreiches Marienfest gefeiert und wir wollten es erleben.

Wir nahmen uns in Puno ein Taxi für die ca. 140 km lange Fahrt, was für Touristen in diesen Regionen durchaus üblich und preiswert ist. Wir fanden sogar einen Fahrer, der aus Rosaspata stammte und der sehr froh war, auf diese Weise wieder einmal seine Familie besuchen zu können. Etwa 4 Stunden dauert die Fahrt, denn Rosaspata liegt weit abseits der Touristenrouten und dementsprechend wenig ausgebaut sind die Straßen, die in dieses Dorf führen. Je näher wir unserem Ziel kamen, umso schlechter wurden die Pisten. Einmal durchquerten wir sogar einen Fluss von beträchtlicher Breite. Tief war das Wasser dieser Furt nicht, aber etwas mulmig wurde es uns schon. Für unseren Fahrer natürlich nichts Neues.

Auf den letzten 20 Kilometern vor Rosaspata sahen wir immer mehr Menschen, die zu Fuß das gleiche Ziel hatten, die Frauen mit der typisch peruanischen Kopfbedeckung - einem viel zu kleinen runden Bowler -, und schwer bepackt mit einem von Waren ausgebeulten, bunten Tragetuch. Andere Indios hatten eine nicht sehr viel bequemere Möglichkeit gefunden, zum großen Fest zu gelangen: Auf den Ladeflächen von Lastwägen dicht gedrängt stehend und von den zahlreichen Schlaglöchern ordentlich durchgeschüttelt. An einer der kleinen Lagunen am Wegesrand erlebten wir ein Naturschauspiel der besonderen Art: Ein Schwarm von Hunderten von kleinen Vögeln (Chorlitos) landete immer wieder im Wasser und jeder Vogel drehte sich auf der Wasseroberfläche sitzend ohne Pause um sich selbst, bis der ganze Schwarm sich wieder in die Lüfte erhob.

In Rosaspata angekommen, vereinbarten wir mit unserem Taxifahrer die Zeit für die Rückfahrt und steuerten die kleine Kirche des Ortes an, bei insgesamt vielleicht 100 kleinen Häuschen kein all zu großes Problem. Außerdem konnte man schon von weitem die Blasmusik und ein gewaltiges Stimmengewirr vernehmen. Auf dem fast quadratischen Marktplatz und dem Platz vor der Dorfkirche war jetzt um 11 Uhr das religiöse Volksfest in vollem Gang: Tausende in farbenfrohe Trachten- und Alltagsgewänder gekleidete Indios, Volkstanzgruppen aus den umliegenden Ortschaften mit einstudierten Wiegeschritten, phantasievoll gestaltete, furchterregende Masken, mehrere lautstarke Musikgruppen auf engstem Raum. Wir erkannten rasch, dass die meisten Männer bereits zu so früher Morgenstunde dem Alkohol ordentlich zugesprochen hatten, viele Frauen kauten wie im Trance auf einer Kugel aus Koka-Blättern im Mund.

Wir erreichten den Kirchplatz gerade rechtzeitig zum Ende des Gottesdienstes. Aus der Kirche strömten die Menschen und suchten ihre jeweilige Gruppe. Das Portal der Dorfkirche war überreich geschmückt und auf den dafür verwendeten farbigen Tüchern hatten die Gläubigen Hunderte von Soles-Geldscheinen angeheftet. Zahlreiche Luftballon-Girlanden waren gespannt zwischen Kirchturm und Strommasten. In diesem Moment trugen sechs starke Männer die überlebensgroße Marienstatue ins Freie, angefeuert durch Jubelrufe zum Ruhm der Gottesmutter. Ohrenbetäubender Lärm und dichte Rauchschaden entstanden, da hinter der Friedhofsmauer mehrere Böller entzündet wurden. Ein kleiner Zwischenfall: Die Statue hatte sich an einer Girlande verfangen und einige Leute versuchten mit langen Stangen die Maria zu "befreien". Jetzt hatten sie es geschafft. Der bunteste Festzug, den ich je erleben durfte, rund um den Marktplatz, begann. Eine Tanz- oder Figurengruppe nach der anderen reihte sich ein. Markerschütternde Freudenschreie heizten die Stimmung an. Immer wieder wurden Schnapsflaschen zum Mund geführt. Umarmungen zwischen Freunden, die sich lange nicht gesehen hatten!

Unsere Kameras klickten unaufhörlich. Längst waren wir in der Menge nicht mehr nebeneinander geblieben. Doch es war nicht schwer, einander wieder zu finden, denn erstens waren wir vier Gringos einen Kopf größer als alle anderen Menschen hier, zweitens hatten nur wir eine blasse Hautfarbe und drittens hatten nur wir eine Kamera in der Hand. Hier in Rosaspata waren wir seltene Exoten, freundlich aufgenommen, anders als zuvor in den Touristenhochburgen Puno oder Machu Picchu. Viele lächelten mir zu. Jugendliche und so manche Erwachsene fragten mich nach meiner Herkunft und baten mich um eine deutsche Münze. Nicht bettelnd, sondern z.B. mit einem 5-Soles-Stück in der Hand wollten sie tauschen, einfach nur um einmal ein deutsches Geldstück in die Hand zu bekommen. Gerne erfüllte ich diese Wünsche und schaute in strahlende Gesichter.

Ein junger Mann kam eilends auf mich zu und sprach mich mit einladenden Gesten an. Ich entnahm seinem Redeschwall die Worte "Alcalde" und "Ayuntamiento", also Bürgermeister und Rathaus. Er gestikulierte und zeigte immer wieder zum Marktplatz. Ich ahnte, was er wohl meinte. Wenig später hatte ich meine drei Kollegen zu mir gewunken und wir besprachen die Lage. Wir sollten ins Rathaus kommen, der Bürgermeister ließ uns rufen. Gerne nahmen wir die überraschende Einladung an. Wir folgten dem Boten des Alcalde und zwängten uns hintereinander in Richtung Marktplatz durch die Massen an Zuschauern und Akteuren. Er zeigte auf die einzige Hütte am Platz mit einem ersten Stock: Ayuntamiento!

Der Bürgermeister begrüßte uns überschwänglich. Drei andere Honoratioren des Dorfes strahlten uns ebenso an wie dieser. Er hätte uns, die einzigen Nicht-Indios, in der Menge entdeckt und es sei ihm eine große Ehre, uns in Rosaspata willkommen zu heißen. Als er von unserem Heimatland Deutschland erfuhr, sprach er voller Bewunderung den wohl einzigen deutschen Satz, den er noch aus seiner Jugend kannte: "Die deutschen Panzer stehen niemals still!" Dass wir seine Hochachtung für Adolf Hitler nicht teilten, konnte oder wollte er nicht verstehen. Er drängte uns in den ersten Stock und ließ die Türe zum ca. 10 cm (!) breiten Balkon des Rathauses öffnen. Mit großen Gesten und mit all seiner bürgermeisterlichen Stimmgewalt forderte er nun einige der Festzugsgruppen auf, noch einmal am Rathaus vorbei zu ziehen, damit seine deutschen Ehrengäste - jetzt von hier oben - noch einige Bilder schießen konnten, um dann vielleicht in Deutschland für Rosaspata zu werben. (Heute nach 42 Jahren erfülle ich hiermit hoffentlich seine Erwartungen!)

Zurück im Erdgeschoss lud er uns noch ein, ihm in das Stierkampf-Zimmer des Rathauses zu folgen. Zunächst schwärmte er von der Corrida de Toro, die am nächsten Tag den unbestrittenen Höhepunkt des Marienfestes in seinem Dorf darstelle. Wir sollten unbedingt über Nacht hier bleiben. Er werde selbstverständlich für unsere Unterkunft sorgen! Dass wir sein großzügiges Angebot aus mehreren Gründen ablehnen mussten, bedauerte er aus ganzem Herzen. Zum Abschied entnahm er der Wanddekoration des Corrida-Raumes eine mit getrocknetem Stierblut verkrustete Pica, kam gemessenen Schrittes auf mich zu und überreichte sie mir mit beiden Händen und sprach voller Ergriffenheit den wohl einzigen englischen Satz, der sich ihm eingeprägt hatte: "Hitler was a great man!" Nach diesen seinen Worten bedankten und verabschiedeten wir uns recht schnell, denn eine Diskussion darüber scheiterte an unseren beiderseitigen Sprachkenntnissen.

Wir drehten noch eine Runde um den Marktplatz, der mit zahlreichen Verkaufsständen gefüllt war. Einer aus unserer Gruppe, ein "echter" Zauberer von Format, nutzte die Gelegenheit und erfreute noch einige Kinder mit seinen dünnen Schlauchluftballons, die er in rasanter Geschwindigkeit zu einem Pudel oder einer Rundkrone verdrehen konnte. Die leuchtenden Kinderaugen und die dankbaren Gesten der Eltern waren ihm als Beifall willkommen.

PERU

VOLLEYBALL-EPISODE AM AMAZONAS-QUELLFLUSS

Der letzte Abschnitt meiner Peru-Reise im Jahr 1979 galt dem Regenwald-Gebiet im Norden des Landes. Gemeinsam mit meinen drei Kollegen hatte ich zuvor die Gegend rund um den Titicaca-See, die Inka-Hauptstadt Cusco, die Ruinenstadt Machu Picchu, Lima und das Callejon de Huaylas erlebt. Mit der waldreichen Region um Tingo Maria bis hin zum Amazonas-Quellfluss Ucayali erschlossen wir uns jetzt eine völlig andere faszinierende Landschaft mit ihren in der Regel sehr scheuen Bewohnern.

Ein Turbo-Prop-Kleinflugzeug, das gerade mal 20 Reisenden Platz bot, brachte uns von Lima aus zunächst nach Tingo Maria. Kurz vor dem Landeanflug dort wurde uns auch klar, weshalb ein solch kleines Fluggerät nötig war. Der Fluss Huallaga bildet dort eine Schleife, die der Volkacher Mainschleife ein wenig ähnelt, und die Landebahn war mitten in diese Flussbiegung platziert worden. Noch heute denke ich an Daumendruck und Stoßgebet, die vielleicht geholfen haben, dass unser Flugzeug kurz vor dem Ende der Landepiste zum Stehen kam.

Die Hauptattraktion in der Umgebung von Tingo Maria ist eine Höhle namens Cueva de las Lechuzas (spanisch für "Höhle der Eulen", benannt nach einer Kolonie des eulenartigen Ölvogels, der darin

31

gefunden wurde). Wir hatten uns einen jungen Mann als Führer hin zu dieser Höhle engagiert, der mit einer Machete in der Hand immer wieder den Weg frei schlagen musste für uns vier kamerabewaffnete "Gringos" aus Europa. Die hohe Luftfeuchtigkeit in diesem Urwald, die exotischen Pflanzen, die von Baum zu Baum springenden Affen, bunte Papageien, kleine Alligatoren in den Wasserflächen, die wir auf schmalen Wegen durchquerten, und dann der weite Blick vom Eingang der Höhle auf die Grüne Hölle, die sich vor uns ausbreitete - all dies hat sich tief in meine Erinnerung gesetzt.

Am nächsten Morgen bestiegen wir einen recht klapprigen Bus, der uns nach Pucallpa brachte, eine Kleinstadt am Ucayali, einem der beiden Quellflüsse des Amazonas, oder sollte man besser sagen "einem von Tausenden von Quellflüssen" dieses zweitlängsten Stroms der Welt? Schon am Stadtrand von Tingo Maria wurde unser Bus zum ersten Mal von der Polizei angehalten. Alle mussten ihren Ausweis vorzeigen und erklären, wohin sie unterwegs waren und warum. Ich musste sogar die schwarze Kunstledertasche meines Stativs öffnen, die dem Kontrolleur verdächtig vorkam. Nach circa einer halben Stunde konnten wir die Fahrt fortsetzen. Zwanzig Kilometer weiter wiederholte sich das Ganze. Wir erfuhren nie, ob solch strenge Überwachung an der Tagesordnung war oder ob das alles aus einem besonderen Anlass geschah. Vielleicht war es auch Folge der landesweiten Proteste der Bevölkerung gegen die Politik der Militärregierung. "Majestros Libertad!" mit diesem Schlagwort stand die Forderung nach "Freiheit für die Lehrer" an fast jeder Hauswand zu lesen. Nach fast 7 Stunden war das Ziel der 250 km langen Fahrt endlich erreicht.

Unsere Hotelanlage lag an der Laguna Yarinacocha. Mit einem Boot des Hotels setzten wir von Pucallpa aus über den See hinüber auf eine Halbinsel. Der Schweizer Hotelier Señor Maulhardt hatte die Bungalows seines Hotels "La Cabaña" in den Wald hinein gebaut und wir fühlten uns dort geborgen und wurden bestens versorgt. Moskitonetze an allen Fenstern und Türen und ein Gecko (!) in jedem Abfalleimer sorgten dafür, dass wir vor "feindlichen" Angriffen weitestgehend verschont blieben. Farbenfrohe Aras und kleine gelenkige Affen in den Bäumen gehörten zum fast jederzeitigen Blick aus den Fenstern. Einmal erwachte ich rechtzeitig zum Sonnenaufgang. Die dazugehörigen Filmaufnahmen und die Erinnerung an die begleitenden Tiergeräusche hier mitten im Urwald prägten sich mir ein.

Ein besonderes Erlebnis ganz anderer Art hatte ich einmal nach der Rückkehr von einem Ausflug. Mit dem öffentlichen Bus hatten wir die Altstadt von Pucallpa besucht und waren wieder zurückgekehrt in den kleinen Vorort, der an der Lagune unserem Hotel gegenüber lag. Von der Bushaltestelle aus schlenderten wir vier durch den Ort, als ich plötzlich hinter der Polizeistation Bälle fliegen sah. Da musste ich doch mal schauen, was da los war. Auf einem kleinen Erdfeld spielten 10 junge Männer Fußball und wenige Meter daneben hatten gerade einige Jungs und Mädchen begonnen, Volleyball zu spielen. Wir setzten uns ein wenig dazu und verfolgten das Einspielen der jungen Leute. Mehr und mehr wuchs bei mir die Lust, ein wenig mitzuspielen. Ich war damals 29 Jahre alt und hatte in Würzburg zwei Jahre zuvor nach acht Jahren Handball mit dem Volleyballtraining bei der DJK begonnen. Das Niveau, das hier an den Tag gelegt wurde, entsprach in etwa meinem Spielvermögen und so fragte ich zuerst meine drei Kollegen, ob noch jemand mitspielen würde. Als sie abwinkten, entschloss ich mich, es alleine zu versuchen.

Meine fragenden Gesten waren gleich verstanden und schon pritschte und baggerte ich mit den jungen Peruanern. Es machte großen Spaß, nach dreiwöchiger, reisebedingter Pause wieder mal am Ball zu sein. Beim Einschlagen am Netz war ich in meinem Element und wenig später war es dann so weit, dass die Mannschaften gebildet wurden für den ersten Satz. Jetzt beobachtete ich, dass alle Spieler ein 5-Soles-Stück aus ihrer Geldbörse holten und auf den Tisch am Spielfeldrand legten. Ich verstand gleich, es schien der Einsatz für das Spiel zu sein. Man erklärte mir, dass die SpielerInnen der siegreichen Mannschaft dann eben 10 Soles (damals etwa 10 Pfennige) als Preis bekämen. Da machte ich natürlich mit und holte ebenfalls 5 Soles aus meinem Geldbeutel. Während der Einspielzeit war mir besonders ein etwa 18-jähriges Mädchen als ausgezeichnete Stellerin aufgefallen und einigermaßen zufrieden registrierte ich, dass sie in meiner Mannschaft war. Es konnte los gehen!

Wir stellten uns auf. Die erwähnte Stellerin auf der drei, ich auf der Angriffsposition vier. Der Gegner hatte Aufschlag. Aus den Augenwinkeln sah ich, dass die Fußballer ihr Spiel unterbrochen hatten und interessiert zum Volleyballfeld schauten. 'Ein Fremder, ein großer sportlicher Europäer, ein Weißer zwischen lauter braunen Indios! Mal sehen, was der so kann! Ob er überhaupt was kann.` Der Aufschlag kam auf mich, die Annahme kam punktgenau zu meiner Stellerin, sie stellte mir wie vereinbart einen hohen Ball und - ich traf den Ball nicht, ich schlug daneben! 1 : 0 für den Gegner! Die Männer auf dem Fußballfeld drehten sich ab und setzten ihr Spiel fort. Eine kurze Entschuldigung von mir wurde von der Stellerin selbstverständlich angenommen und weiter ging das Spiel. Eine ziemliche Blamage für mich zunächst, aber wir gewannen den Satz und jeder bekam tatsächlich seine 10 Soles. Unabhängig vom Ergebnis hat es aber allen Beteiligten Spaß gemacht.

Meine Kollegen drängten mich dann jedoch zum Abzug; Sie wollten wieder zurück ins Hotel, was ja verständlich war. Ich fragte noch, ob morgen auch gespielt würde und verabschiedete mich mit "Gracias! Mañana a las cinco!" Am nächsten Tag machte ich mich dann tatsächlich um vier Uhr auf, ging alleine hinunter an den Bootsanlegesteg unseres Hotels und wollte übersetzen nach Pucallpa. Doch kein Hotel-Boot weit und breit. Da entdeckte ich mitten auf der dort ca. 500 m breiten Lagune ein Bananenboot, das in die gewünschte Richtung fuhr. Ich winkte und rief. Tatsächlich sahen mich die beiden Männer auf dem langen Boot, steuerten auf mich zu und nahmen mich bereitwillig auf. Da saß ich also mit den Füßen auf Bananenstauden und schipperte mit freundlichen Fremden hinüber zum kleinen Hafen des Dorfes. Die Warnungen vor blutrünstigen Piranjas in diesem Wasser hatte ich in den hinteren Teil meines Kopfes verdrängt. Erneut hatte ich dann ein exotisches Volleyball-Training im Amazonas-Quellgebiet, diesmal ohne peinliche Aussetzer meinerseits, und ich verabschiedete mich am Abend herzlich von meinen Mitspielern.

Diese kleine Volleyball-Episode habe ich in den vergangenen Jahren schon oft erzählt und so mancher hoffnungsvollen Nachwuchsspielerin konnte ich damit ein wenig Trost schenken, wenn mal im Spiel etwas gehörig schief gelaufen war. Natürlich nur eine Randnotiz meines Ausflugs ins Amazonasgebiet. Bei Bootstouren hin zu abgelegenen Indio-Dörfern wurde mir dann aber manchmal auch bewusst, dass diese wunderschöne Reise an manchen Stellen auch ein Einbruch in die Idylle peruanischer Lebenswelt war.

VIETNAM

IN DEN STRASSEN VON HANOI

Im Jahr 1999 hatte ich Gelegenheit, zum ersten Mal Asien zu bereisen. Peter Valenta hatte eine Reise durch Vietnam und danach einen Abstecher nach Kambodscha geplant und meine Frau und mich in seine 16-köpfige Reisegruppe aufgenommen. Von Hanoi aus hatten wir zuerst den Norden Vietnams kennen gelernt. Unvergessen sind mir dabei eine eintägige Bootsfahrt zwischen den 3000 Inseln und Inselchen der Halong-Bucht sowie der Besuch des Bergdorfes Sin Chai, wo die "Schwarzen H´Mong" leben. Aufgrund ihrer hauptsächlich schwarzen Kleidung haben sie ihren Namen erhalten. Die Älteren kauen Betelnüsse, die in Blätter gerollte Saat der Betelpalme, wodurch sich ihre Zähne schwarz verfärben. Auch eine Bootsfahrt durch die sogenannte "Trockene Halong-Bucht" bei Ninh Binh und die Besichtigungen von Tempeln in und um Hanoi werden immer in Erinnerung bleiben.

An einem Abend hatten wir das berühmte Wasserpuppentheater besucht, das es nur in Hanoi gibt. Das Orchester dieses außergewöhnlichen Musiktheaters sitzt leicht erhöht neben der Bühne, die aus einem Wasserbecken besteht. In dem Becken stehen hinter einem Vorhang aus geflochtenem Bambus die Akteure, die die auf 3 bis 4 m langen Stangen montierten Wasserpuppen handhaben. Die Stangen befinden sich unterhalb, die Puppen oberhalb der Wasseroberfläche. Die fremdartigen Klänge der vietnamesischen Instrumente und die uns unbekannte Sprache machten den Besuch der 3-stündigen Veranstaltung für viele von uns zu einer echten Belastungsprobe, die nur teilweise ausgeglichen wurde durch die spannende Handlung und die interessante Puppenspieltechnik.

Aufgeführt wurde an diesem Abend die Legende des zurückgegebenen Schwertes: Anfang des 15. Jahrhunderts, während der chinesischen Besatzung, übergab der Sage nach eine riesige, im See lebende, goldene Schildkröte dem armen Fischer Le Loi ein magisches Schwert, welches ihn unbesiegbar machte. Er benutzte das Zauberschwert, um in einem erbitterten Kampf (1418–1428) die Truppen der Ming-Dynastie vernichtend zu schlagen, und wurde im Jahre 1428 König. Nach der Siegesparade begab sich der junge König zum See, um den Göttern zu danken. Da tauchte die goldene Schildkröte erneut auf und forderte das Schwert zurück. Bevor Le Loi sich entscheiden konnte, löste sich plötzlich das Schwert aus der Scheide, stieg zum Himmel empor und verwandelte sich in einen großen jadefarbenen Drachen, der über dem See schwebte und dann in die Tiefe stürzte.

Erzählen möchte ich von einem Erlebnis, auf das wir gerne verzichtet hätten, denn es wurde sogar gefährlich und nur mit viel Glück konnten wir es ohne Schaden überstehen.

In den Nachmittagsstunden des darauf folgenden Tages stand der Besuch der Altstadt Hanois auf unserem Programm. An der Grenze zwischen diesem ältesten Teil der Hauptstadt und dem einstigen französischen Kolonialviertel liegt der bekannteste See Hanois, der Hoan Kiem See, der "See des zurückgegebenen Schwertes". Unsere Führerin durch den Norden Vietnams ließ uns ganz in der Nähe der auffällig roten "Sonnenbrücke" aus unserem Bus aussteigen, besorgte die Eintrittskarten und geleitete uns dann hinüber zum Ngoc Son Temple, übersetzt "Tempel des Jade Bergs", einer kleinen Pagode, die mitten im See auf einem Inselchen liegt. Neben verschiedenen Statuen buddhistischer Gottheiten sind mir aus dem Inneren eine riesige Schildkröte und der Geruch von zahlreichen Räucherstäbchen in Erinnerung, die die einheimischen Besucher mitgebracht und entzündet hatten. Aus der Ferne sahen wir den ebenfalls mitten im See gelegenen "Schildkröten-Turm", ein Wahrzeichen Hanois.

Nach dieser Besichtigung vereinbarten wir eine Zeit für die Rückfahrt zum Hotel und jeder konnte die 2 Stunden bis dahin nach eigenem Geschmack gestalten. Meine Frau und ich nutzten diese Gelegenheit zunächst zu einem Bummel durch die Altstadt. Wir genossen das Treiben in den engen Gassen, wunderten uns über das Gewirr von Stromleitungen, die zwischen den alten Häusern und hoch über den Straßen verliefen und sich dann immer wieder in uralten Verteilerkästen bündelten. In einem kleinen Internet-Café machten wir eine verdiente Pause. Der Kaffee, den wir bestellt hatten, wurde an unserem Tisch in traditioneller Art und Weise gebrüht und gefiltert. Wir genossen das alles und fühlten uns danach gestärkt für eine weitere Stunde Hanoi auf eigene Faust.

Als wir das Café verließen, hielt gerade eines der vielen Fahrrad-Rikschas vor dem Eingang und wartete auf Kundschaft. Wir entschieden uns spontan zu einer solchen Fahrt. Meine Verhandlungen mit dem Fahrer über Fahrzeit (1 Stunde) und Preis (200 000 Dong) waren schnell geführt und wir zwängten uns nach freundlicher Aufforderung in den Fahrgastsessel, zuerst unsicher, ob wir zwei relativ schwergewichtige Personen auch tatsächlich Platz nehmen durften. Die Fahrt begann. Mit jugendlicher Kraft trat unser Rikschafahrer in die Pedale. Immer wieder unterbrach er die Fahrt, um uns schöne Villen oder z.B. ein Museum, ein Tempelchen zu zeigen. Wir mitten im Getümmel der Großstadt. Uns fielen die zahlreichen jungen Frauen auf, die mit Mundschutz und langen weißen Armschonern auf ihren Fahrrädern unterwegs waren, und erfuhren später, dass dies dem Wunsch der Vietnamesinnen entsprach, einen möglichst hellen Teint ihrer Haut zu erhalten. Meist Frauen waren es auch, die mit

Handkarren Obst oder Gebäck durch die Straßen schoben. Wir erhielten in kurzer Zeit einen hautnahen Eindruck vom Verkehrsgewühl dieser Stadt.

Die Orientierung hatte ich längst verloren. War der Schwertsee da unten links oder vielleicht eher hinter uns? So langsam müssten wir wieder zum Ausgangspunkt zurück, denn eine gute halbe Stunde war bereits verstrichen. Die Rikscha war gerade in voller Fahrt. Elisabeth drängte mich mehr und mehr dazu, das Ganze zu beenden. Laut machte ich mich dem Fahrer von hinten bemerkbar und es dauerte eine viel zu lange Zeit, bis er reagierte. Inzwischen hatte ich das Gefühl, dass wir gerade in die falsche Richtung unterwegs waren. Ich rief das wohl auch in Vietnam bekannte "Stopp!" und deutete an den Straßenrand. Endlich! An einer kleinen Einbuchtung vor einer Ampel brachte er sein Fahrzeug zum Stehen und wir sprangen aus der Rikscha auf den Gehsteig. Mit dem Hinweis auf meine Armbanduhr und den Worten "Hoan Kiem Lake! We must go back now!" versuchte ich deutlich zu machen, was wir wollten. Irgendwie wollte er mich aber nicht verstehen. Ich holte meinen Geldbeutel heraus und reichte ihm die vereinbarten 200 000 Dong. Doch er lehnte ab und forderte nun den 10-fachen Preis! Ich pochte auf unsere Abmachung. Vergebens!

Der junge Mann entpuppte sich langsam als Verbrecher. Sein Blick versteinerte sich mehr und mehr. Elisabeth war noch nervöser, als ich es war. "Dann gib ihm halt das Geld!" Fast hätte ich nachgegeben, doch dann eskalierte die Sache: Plötzlich kamen aus mehreren Richtungen andere Rikschas auf uns zu gefahren. Boshafte Blicke trafen uns. Wir waren umstellt. Was sollte ich tun? Da schaltete die Ampel auf rot und durch einen glücklichen Zufall hielt direkt neben uns ein Motorrad mit Seitenwagen an. Der Fahrer, ein hochrangiger Soldat in Uniform, hatte zunächst seine Augen nur auf die Ampel gerichtet. Ich sprach ihn laut an, so dass er nun zu uns blickte und wohl erkannte, was da los war. In diesem Moment riss mir unser Rikscha-Fahrer die vereinbarten 200 000 Dong aus der Hand und er und seine Kollegen fuhren in alle Richtungen davon. Der Offizier wartete noch einen Moment, bis er sicher war, dass wir erst einmal außer Gefahr waren. Dann setzte er mit einem fast entschuldigenden Blick in meine Richtung seine Fahrt fort.

Aber waren wir wirklich in Sicherheit? Und vor allem: Wo waren wir überhaupt? Wie weit war es wohl zum See? Wir entdeckten den Eingang eines internationalen Hotels zwei Häuser weiter und baten an der Rezeption um Orientierung. Auf einem Stadtplan zeigte uns ein sehr freundlicher Bediensteter den Weg von seinem Hotel zum Schwertsee. Er begleitete uns zum Eingang und wies uns die Richtung. Wir bedankten uns und machten uns auf den Weg. War es Angstschweiß oder die Auswirkung der großen Hitze an diesem Augustnachmittag? Bluse und Hemd waren auf jeden Fall tropfnass. Egal! Wir mussten uns weiter beeilen, denn jetzt war schon die Zeit erreicht, die wir mit unserer Gruppe vereinbart hatten. Wir hasteten durch enge Gassen, getrieben von der Uhr, immer wieder mit angstvollen Blicken zurück, ob da auch wirklich keine Rikschas uns verfolgen würden. Mit etwa 30 Minuten Verspätung erreichten wir den See und unseren Bus. Die Stimmung in der Gruppe war natürlich angespannt. Von missmutigem Kopfschütteln ob unserer deutlichen Verspätung bis hin zu echtem Mitgefühl mit dem, was wir erlebt hatten, nahmen wir die unterschiedlichsten Reaktionen wahr. Am nächsten Tag verließen wir Hanoi mit dem Zug in Richtung Süden und erreichten nach einer Nacht im Schlafwagen die alte Kaiserstadt Hué.

VIETNAM

IM NACHTEXPRESS VON HANOI NACH HUÉ ODER "NICHT OHNE MEINEN KAFFEE!"

Nachdem unsere Reisegruppe den Norden Vietnams mit der Hilfe einer einheimischen Reiseführerin ausgezeichnet kennen gelernt hatte, mussten wir uns schweren Herzens am Bahnhof in Hanoi von ihr verabschieden. Diese Frau hatte einst einige Jahre in der DDR studiert und uns während dieser ersten 10 Tage begeistert mit ihren vielseitigen Kenntnissen über Geschichte und Kultur des Landes, aber auch mit ihre angenehmen Stimme und ihrem fehlerfreien Deutsch. Sie hatte uns nicht selten sogar ein wenig beschämt, indem sie uns bei passenden Gelegenheiten auswendig Gedichte von Rilke, Goethe oder Schiller vortragen konnte. Zum Abschied baten wir sie, uns noch einmal ein deutsches Volkslied vorzusingen; sie wählte das Lied "Sah ein Knab' ein Röslein steh'n" und sang mit bezaubernder Stimme alle drei Strophen ohne auf das Liedblatt zu schauen, das sie uns ausgeteilt hatte, damit wir ein wenig einstimmen konnten.

Nach einem köstlichen Abendessen in Hanoi bestiegen wir kurz vor 22 Uhr den Nachtzug, der uns in ca. 13 Stunden in die ehemalige Kaiserstadt Hue bringen würde. Vier Personen sollten diese Nacht in einem doch recht kleinen Zugabteil zusammen verbringen: Zwei Stockbetten, ein Tisch und einige Probleme, die vier Koffer unter den Betten und unter dem Tisch zu verstauen. Die Fahrt begann und wir staunten nicht schlecht, als wir sahen, dass das Gleis für unseren Zug mitten durch die Altstadt Hanois verlief. Der Abstand zu den Häusern links und rechts war teilweise nicht viel größer als ein halber Meter. Das Sonnendach für so manchen Verkaufsstand, das auch gegen abendliche Kühle schützen sollte, wurde angesichts des nahenden Zuges zurückgeschwenkt, Stühle und Tische ein wenig zur Seite gerückt, so dass der Zug, der sich mit lautem Warnton ankündigte, eben gerade so hindurch kam. Nach der Durchfahrt des Nachtexpress war die Bahnstrecke dann wieder eine fast normale Gasse mit lebhaftem Fußgänger- und Fahrradverkehr.

Wir genossen die Fahrt durch Vietnam in den Abendstunden und fühlten uns auch ohne landeskundige Reiseleiterin sicher und geborgen (Deren Ablösung, zuständig für unsere Begleitung im südlichen Teil Vietnams, erwarteten wir bei unserer Ankunft in Hue). Der Bahnbedienstete kam vorbei und verkaufte uns sowohl etwas zu trinken für den Abend, als auch im Vorverkauf ein Frühstück für den nächsten Morgen. Derart gestärkt und versorgt legten wir uns dann nach Einbruch der Dunkelheit in unser Bett. Zu meiner Überraschung konnte ich trotz der doch recht lauten Fahrgeräusche recht schnell einschlafen und erwachte erst, als der Schaffner mit seinem Frühstückswägelchen am Nachbarabteil angekommen war. Recht schnell war meine "Stubenbesatzung" angezogen und saß bereit zum Frühstücksempfang.

Da öffnete sich auch schon die Türe unseres Abteils und der Zugbegleiter übergab jedem von uns ein Gebäckteilchen und einen Becher für den Kaffee. Mit einer entschuldigenden Geste und einer leeren Thermoskanne in der anderen Hand machte er uns dann jedoch deutlich, dass der Kaffee ausgegangen war. Auch ohne nur ein einziges Wort von ihm zu verstehen, wurde ziemlich klar, dass er zur Küche gehen würde, um Nachschub zu besorgen. Ein wenig enttäuscht signalisierten wir ihm aber Verständnis für seine Situation und richteten uns auf eine Viertelstunde Wartezeit ein. Doch diese verstrich ebenso wie eine weitere, ohne dass sich vom Zugpersonal irgendjemand wieder sehen ließ. Im übernächsten Abteil, dort wo es noch Kaffee gegeben hatte, war die Stimmung deutlich besser. Da kreiste schon die provisorisch verordnete "Morgenmedizin" in Form einer gelblichen Flüssigkeit aus einer schottischen Destillerie. Ich lehnte aus verständlichen Gründen ab, denn auf nüchternen Magen schien mir dies nicht ratsam.

Ich machte mich auf die Suche nach unserem Zugbegleiter, den ich dann zwei Schlafwagenwaggons weiter beim Auffüllen seines Getränkewagens fand. Er schaute recht schuldbewusst; er wusste sehr wohl, was er mir schuldig war. Eine Kaffeemaschine war nirgendwo zu sehen und er gab mir zu verstehen, dass es keinen Kaffee mehr geben würde. Er konnte natürlich nicht wissen, dass ich zu den Personen gehörte und übrigens heute immer noch gehöre, die sehr ungemütlich werden, wenn sie all zu lange auf ihre Dosis Koffein am Morgen verzichten müssen. Mit dem Reiben von Daumen und Zeigefinger der rechten Hand, einer wohl international üblichen Geste, forderte ich für 4 Kaffees das Geld zurück, das ich einem seiner Kollegen am Abend zuvor gegeben hatte und zeigte ihm noch einmal die Quittung dafür. Er verstand, ging einige Schritte in Richtung Zugspitze und winkte mir, ihm zu folgen.

Was ich dann erlebte, ist der Grund dafür, dass ich diese Geschichte noch heute - 22 Jahre später - in so lebhafter Erinnerung habe. Er ging mir voraus durch den gesamten Zug: Auf die für zahlungskräftige Touristen vorgesehenen Schlafwaggons, folgten zunächst drei Wägen, die ich der europäischen 2. Klasse zuordnete. Danach kamen die völlig überfüllten 3. Klasse-Waggons mit Holzsitzen und ohne jede Klimaanlage. Hier wurde noch geschlafen! Kreuz und quer lagen

Menschen, die die Nacht noch nicht für beendet erklärt hatten. Ständig mussten wir über die Schlafenden hinübersteigen, natürlich darauf bedacht, niemanden zu berühren oder gar zu wecken.

Wo wollte er mit mir hin? Was hatte er vor? Sollte ich lieber umkehren? Ich begann zu schwitzen - Diese Hitze! Oder war es aufkommende Angst? All zu lange konnte es ja jetzt nicht mehr dauern. Ich entschied mich, dem Schaffner weiter zu folgen. Nach zwei weiteren Waggons hatten wir scheinbar das Ziel dieser "Tour dé Train" endlich erreicht. Vorsichtig klopfte mein Zugbegleiter an die nächste Schiebetüre. Sie wurde geöffnet und wir traten ein. Links im Eck thronte ein stark übergewichtiger Mann in einen weißen Anzug gekleidet. Er frühstückte fürstlich, was in Vietnam auch Suppe und Fleisch beinhaltete. Das hatten wir in unserem Hotel in Hanoi schon als sehr ungewöhnlich erlebt. Der Zugbegleiter verneigte sich ehrerbietig. Von dem Gespräch der beiden verstand ich kein einziges Wort, hatte aber den Eindruck, dass der Untergebene die Situation wahrheitsgemäß schilderte, in der er war und die uns hierher geführt hatte.

Der "Zug-Pascha", so bezeichne ich ihn mal, war gar nicht erfreut über diese Störung seiner Mahlzeit. Er musterte mich kurz, erklärte mir äußerst knapp, dass kein Kaffee mehr da sei, und gab dann einem der Umstehenden die Anweisung, mir Geld auszuzahlen. Ich nahm den Schein entgegen, nur ein Teil dessen, was wir bezahlt hatten, und wurde mit einer nicht all zu freundlichen Geste in Richtung Türe wieder entlassen.

Auf dem Weg zurück in unser Abteil wurde mir erst so richtig bewusst, welch skurrile Begegnung das gerade war. Wieder stieg ich über die schlafenden Reisenden der 3. Klasse und mit besorgten Blicken empfing mich meine Frau, die sich natürlich gefragt hatte, wo ich so lange war. Natürlich musste ich erzählen und ich versuchte in Worte zu fassen, was ich in der letzten halben Stunde erlebt hatte. Ich aß das süße Teilchen und genehmigte mir jetzt ein Gläschen "Prophylaxe-Medizin".

Auf diese Weise wieder besänftigt und gut gelaunt erreichten wir wenig später Hue. Die alte Kaiserstadt liegt etwa in der Mitte Vietnams an der Küste, dort wo der "Fluss der Wohlgerüche" sein Mündungs-Delta gebildet hat. Die Stadt war von 1802 bis 1945 Hauptstadt Vietnams und wir besuchten in ihr die im Vietnam-Krieg zerstörten und nun wieder aufgebauten Kaiserpaläste der Nguyen-Dynastie. Mit neuem Reiseführer erlebten wir danach unter anderem Da Nang, Hoi An, Na Trang, Ho-Chi-Minh-Stadt sowie Natur und Menschen im Mekong-Delta.

VIETNAM

SCHRECKSEKUNDE IN DER SCHLANGENFARM

Die Reise durch den Süden Vietnams begann gleich mit einem kulturellen Paukenschlag. Die wieder aufgebauten Paläste der Nguyen-Dynastie in Hue sind wohl alleine eine Reise wert. Ein wenig südlich von Hue überquerten wir mit unserem Kleinbus den Wolken-Pass. Früher war hier die in den Vietnamkriegen des letzten Jahrhunderts immer wieder umkämpfte Grenze zwischen Nord- und Südvietnam. Gerne erinnere ich mich auch an den Besuch von Hoi An, einem Zentrum der vietnamesischen Seidenproduktion, mit seinen historischen Gebäuden und Brücken.

Unser Stopp in Mỹ Lai war der Erinnerung an das fürchterliche Massaker der Amerikaner am 16. März 1968 gewidmet, einem der schlimmsten Kriegsverbrechen des Vietnamkrieges. Tief erschüttert standen wir vor den Zeugnissen dieser Tat, die auf einem Freigelände und in einem kleinen Museum für die Nachwelt bewahrt werden.

Nach einer Bootsfahrt in Nha Trang mit abendlichem Bad im Meer und einem kurzen Aufenthalt in dem Luftkurort Da Lat steuerten wir Ho-Chi-Minh-Stadt an, also die frühere Hauptstadt Südvietnams. Das pulsierende Leben in dieser asiatischen 9-Millionen-Metropole hat bei mir einen gewaltigen Eindruck hinterlassen. Wir besichtigten Tempel und Museen, wir genossen die vietnamesischen Speisen und Getränke, wir tauchten ein in die fremdartigen Märkte und in den dichten Verkehr. Die Ausflüge ins nahe gelegene Mekong-Delta zählten ebenfalls zu den Highlights der gesamten Reise.

Es gehörte durchaus zum Straßenbild von Saigon, dass mal ein Mofafahrer am Straßenrand eine lebendige Riesenschlange um den Hals trug. Was wir aber an einem Nachmittag in einem Vorort der Stadt erleben konnten, war dazu eine deutliche Steigerung. Wir besuchten eine Familie, die ihren Lebensunterhalt durch eine Schlangenzucht bestreitet. Nicht weit von einer vielbefahrenen Hauptstraße entfernt entstiegen wir unserem Bus und wurden von den Familienmitgliedern freundlich begrüßt. Im Hof ihres Anwesens zeigten sie uns gleich den Stolz der Familie, das große Schlangengehege. In respektvollem Abstand bestaunten wir die Tiere, die da hinter Drahtzäunen im Wasser schwammen oder in den Ästen einiger Büsche und Bäume hingen.

Einer der jungen Männer öffnete kurz die Tür des Geheges und schlüpfte hinein zu den Schlangen. In seiner Hand hatte er eine Holzstange, an deren Ende zwei Metallstifte befestigt waren. Entschlossen trat er zu einem seiner Tiere, fing es mit dieser Stange ein und hob es mit sicherem Griff vom Boden auf. Er wollte uns das 1,50 m lange Tier näher zeigen und kam deshalb aus dem Freigehege heraus. Den Moment, als er die Türe schließen wollte, nutzte die Schlange aus. Mit schnellen Bewegungen löste sie sich aus dem Klammergriff und blitzartig war sie zwischen unseren Füßen hindurch in Richtung Freiheit unterwegs. Einige Angstschreie und unsere entsetzten Blicke verfolgten sie. Drei Männern der Familie war dieser Fluchtversuch aber offensichtlich nichts Neues und sie schafften es tatsächlich, das Tier wieder zu stellen und brachten es zurück.

Nach diesem Schreckenserlebnis mit glimpflichem Ausgang wurden wir ins Haus gebeten, denn wir sollten unbedingt die Spezialität des Betriebs in Augenschein nehmen und probieren. Da standen auf

Tischen und in Regalen Hunderte von Flaschen Schnaps. Je größer die Flaschen oder Glasgefäße, desto größer auch die Schlangen, die darin lagen. Wir wurden dazu aufgefordert, den Schnaps einmal zu versuchen, aus welchen Flaschen auch immer! Ich gehörte zu den Mutigen, die sich diese Gelegenheit nicht entgehen lassen wollten. Dazu wurde eine Tasse Tee gereicht. Die meisten Damen aus unserer Gruppe beschränkten sich auf den Tee, die meisten Männer brauchten den Tee zum Nachspülen, denn der Geschmack der Schlangenschnäpse war durchaus gewöhnungsbedürftig.

Das Abendessen hatten wir an diesem Tag in einem Lokal in der Innenstadt bestellt. Um zu unseren reservierten Tischen zu gelangen, wurden wir durch einen Hinterhof geführt, von dem aus eine steile Treppe hinauf führte in den Speiseraum. Unter diesem Aufgang, fast als hätte man sie dort verstecken wollen, saßen zwei ältere Frauen, die wahre Kunstwerke aus Karotten und roten Rüben schnitzten. Diese Schmuckstücke waren dann später auf unseren Tellern, wie es überall in Vietnam üblich ist. Auch das Auge isst mit! Auf dem Treppenabsatz in halber Höhe stand eine riesige Glasflasche mit einer gewundenen Schlange darin. Das war jetzt für uns keine Sensation mehr nach unserer "Betriebsbesichtigung" heute Nachmittag. Ich erinnere mich noch gut an die Vorspeise, die es gab: In einem bunt bemalten Tontöpfchen bekamen wir eine sehr heiße Suppe serviert und unmittelbar danach wurde jedem eine hauchdünne, rohe Scheibe Hähnchenfleisch darauf gelegt. Auf dieser kochend heißen Brühe garte das Fleisch innerhalb kürzester Zeit und es schmeckte hervorragend. Nach dem Hauptgang genehmigte ich mir übrigens den Schlangen-schnaps des Hauses. Dafür wurde ich zu der bereits erwähnten Glasflasche auf dem Treppenabsatz gebeten. Augen zu und durch!

Noch eine andere kleine Geschichte möchte ich jetzt erzählen, die sich ganz in der Nähe abgespielt hat. Eine Nacht verbrachten wir nämlich im Herzen des Mekong-Deltas fast am südlichsten Punkt Vietnams. Das tropische Klima hier rund um den nördlichen Breitengrad 10 (vergleichbar mit Südindien oder Äthiopien) fördert ein üppiges Wachstum der Vegetation und dies ermöglicht eine intensive Landwirtschaft. Als „südliche Reiskammer Vietnams" bezeichnet, werden im Mekong Delta bei drei anstatt üblicher Weise zwei Ernten z.B. jährlich über 16 Mio. Tonnen Reis produziert. Außerdem gibt es hier tropische Früchte, Gemüse, Zuckerrohr und natürlich Fisch.

Nach einer anstrengenden Fahrt auf engen und schlechten Straßen hatten wir am Spätnachmittag ein modernes Hotel in einer kleinen Stadt erreicht und unser Zimmer bezogen. Von hier aus würden wir am nächsten Tag eine Bootsfahrt auf dem Mekong unternehmen. Ich hatte kurz vor dem Hotel einen kleinen Markt mit einem verlockenden Obstangebot gesehen. Vor der ersehnten Dusche und einer kleinen Siesta konnte ich dieser Verlockung nicht widerstehen. Ich zog noch einmal los und wollte auf dem erwähnten Markt ein wenig frisches Obst für meine Frau und mich besorgen. Also raus aus der Hotelanlage und vielleicht 500 m hin zu den Verkaufsständen am Rand des Städtchens. Ein kurzer Rundgang und ich wusste, was ich kaufen wollte: Eine richtig reife Ananas! Eine junge Frau erschien am Stand und ich holte meine gesamten Vietnamesisch-Kenntnisse heraus: "Xin chào!" Auch sie lächelte und grüßte schüchtern zurück. Ich deutete auf eine Frucht und sie verstand. Sie fragte wohl, ob ich sie geschält haben möchte. Ich blickte zum Hotel und schon war ihr klar, dass sie die Ananas schälen sollte. Sie nahm ihre kleine Machete, setzte sie an, blickte sicherheitshalber noch einmal auf und als ich freundlich nickte, begann sie mit größter Routine zu schälen.

Welch ein Kunstwerk da in Windeseile entstand! Mit ein paar Hieben war der größte Teil der Haut schnell entfernt. Schräg verlaufende Kerben entstanden beim Herauslösen der kleinen schwarzen Punkte. Noch ein paar Handgriffe und die knallgelbe Frucht war in mundgerechte Stücke zerteilt. Diese wanderten in eine bereitstehende Plastikschale und schon reichte sie mir diese in einer Tüte zum praktischen Transport ins Hotel. Freundlich schrieb sie mir den Preis auf einen Zettel und ich bezahlte mit vietnamesischen Dong. Noch einmal strahlte sie mich an und wir verabschiedeten uns.

Meine Frau staunte nicht schlecht, als ich schon nach wenigen Minuten mit einer frisch geschälten Ananas wieder zurück war. Und wie sie schmeckte! Wir waren begeistert. Kurz entschlossen machte ich mich noch einmal auf den Weg, um eine weitere Ananas zu kaufen, denn eine solche Köstlichkeit wollten wir auch einem anderen Ehepaar aus unserer Reisegruppe gönnen, das wir als angenehme Mitreisende kennen gelernt hatten und mit dem wir übrigens noch heute befreundet sind.

Natürlich steuerte ich den gleichen Stand an wie zuvor. Als die Verkäuferin mich sah und verstand, dass ich noch einmal eine Ananas kaufen wollte, machte sie keinen Hehl aus ihrer Freude. Strahlend machte sie sich an die Arbeit. Sie wusste, was ich wollte und ich kannte den Preis. Ein zweites Mal konnte ich ihr Geschick bewundern und ich bezahlte großzügig. Sie winkte mir noch einmal zu, als ich schon wieder fast bei der Hoteleinfahrt war. Unsere neu gewonnenen Freunde im Hotel freuten sich riesig, als ich ihnen das kleine Geschenk überreichte. Nach diesen Ananaskäufen in tropischer Hitze hatte ich mir eine erfrischende Dusche nun redlich verdient.

Nach dem Frühstück am nächsten Morgen erklärte uns der Reiseleiter, dass wir vor unserer Bootsfahrt noch einen kleinen Spaziergang durch die Stadt machen würden. Wieder kamen wir an den Marktständen vorbei und schon von weitem erkannte mich die junge Vietnamesin. Als wir direkt an ihrem Stand vorbeigingen, winkte sie mich nahe heran und stellte mir ihre Mama vor. Was für eine herzliche Begegnung hier in diesem fremden Land!

Und das alles konnte noch übertroffen werden auf dieser Reise. Die letzte der fünf Wochen war nämlich reserviert für einen Ausflug nach Kambodscha. Mit dem Flugzeug ging es nach Phnom Penh und dann mit einem Schnellboot über den Tonle Sap nach Siem Riap, wo wir die Tempelanlagen von Angkor erleben konnten.

SYRIEN

MAHMOUD DABBAK AUS IDLIB UND SEINE FREUNDE

Während der Osterferien im Jahr 2004 unternahmen wir eine weitere hochinteressante Reise. In einer 18-köpfigen Gruppe wollten wir das Land Syrien kennen lernen, seinen Menschen begegnen sowie die Sehenswürdigkeiten besuchen und die sich in ihnen widerspiegelnde Geschichte und Kultur dieses im Vorderen Orient gelegenen Landes erfassen. Nach einer ersten Erkundung der Hauptstadt Damaskus führte uns eine Rundreise zunächst in den Norden. In guter Erinnerung ist mir die riesige Kreuzritterburg "Krak des Chevaliers" in der Nähe von Homs und das Knarren der Wasserräder von Hamah aus dem 12. Jahrhundert, die einen Durchmesser bis zu 27 m haben. Die Kollonadenstraße der antiken Stadt Apameia hat uns ebenso begeistert wie der Besuch der sogenannten Toten Städte in der Nähe von Lattakia.

Im Verlauf der Reise steuerten wir nun Aleppo im Nordwesten Syriens an. Wenn ich heute im Jahr 2021 über diese Tage nachdenke, dann blutet mir das Herz. Wir durften Syrien und eben dieses Aleppo noch vor den Zerstörungen des heute noch andauernden Krieges erleben. Die aktuellen Bilder, die man von dieser Stadt im Internet nun sehen muss, erschüttern mich zutiefst. Wie soll es je möglich sein, die Zitadelle, die Moscheen, die Souks dieser Stadt wieder aufzubauen? Mir drängen sich die Bilder des Malers Wolfgang Lenz auf, die dieser über die Zerstörungen des 16. März 1945 von meiner Heimatstadt Würzburg gemalt hat. Und dann keimt da doch wieder Hoffnung auf Frieden und Verständigung unter Feinden.

Am Karsamstag 2004 konnten wir Aleppo noch in seiner damaligen Schönheit erleben: Das armenisch-christliche Viertel bei der Vorbereitung der Auferstehungsfeiern, die Pracht der Omajiaden-Moschee mit dem Grab von Zacharias (dem Vater von Johannes dem Täufer), die alten Karawansereien, die auf einem Kegelstumpf thronende Zitadelle hoch über der Altstadt, das historische Hamam, die geschäftstüchtigen Händler in den orientalischen Märkten (Souks), die vielen Cafés mit dampfenden Wasserpfeifen, die traditionellen Restaurants und edlen Hotels. Zeitweise wurden wir fachmännisch geführt, teils entdeckten wir vieles auch auf eigene Faust. Dazu möchte ich erwähnen, dass wir dabei niemals das Gefühl hatten, in Gefahr zu sein. Überall wurden wir freundlich begrüßt und als Touristen gerne gesehen.

Der darauf folgende Tag barg sehr viele beeindruckende Erlebnisse; ein Ostersonntag, den ich stets in lebhafter Erinnerung habe. Schon das erste Ziel prägte den ganzen Tag: Die Ruinen des Symeonsklosters befinden sich etwa 30 km westlich von Aleppo. Ich gebe zu, dass ich bis dahin noch nie etwas von Symeon, dem Säulenheiligen, gehört hatte.

Er lebte im 5. Jahrhundert n. Chr. als Einsiedlermönch über mehrere Jahrzehnte (37 Jahre) auf einer Säule, um durch strenge Askese zu ständiger Gemeinschaft mit Gott zu finden. Symeon galt in der damaligen Christenheit als Heiliger. Das Können und Wissen, über das er infolge seiner Askese verfügte, zeigte sich z. B. in seiner Fähigkeit zu heilen sowie darin, dass er zweimal täglich von der Säule herab lehrte, Fragen beantwortete und Segen erteilte. Kaiser Theodosius II. stieg sogar auf die Säule, um sich von Symeon beraten zu lassen. Auf diese Weise hatte Symeon erheblichen Einfluss auf Politik und Gesellschaft. Der „zwischen Himmel und Erde lebende Märtyrer" starb 459 auf seiner Säule. Der Leichnam Symeons wurde dann mit allem

Pomp (Es sollen 600 Elefanten den Sarg begleitet haben!) nach Antiochia überführt, wo man 30 Tage lang die Totenfeier hielt. Nach seinem Tod wurde der Ort der Wirksamkeit Symeons weiterhin aufgesucht. Wenige Jahre nach dem Tod Symeons begann mit kaiserlicher Unterstützung der Ausbau zu einem prächtigen Wallfahrtszentrum. In nur 15 Jahren entstand eine gewaltige Kirchenanlage: Ausgehend von einem achteckigen Hauptraum, in dem die einst 18 Meter hohe Säule Symeons stand, erstreckt sich kreuzförmig in jede Himmelsrichtung eine dreischiffige Basilika. Die Gesamtfläche der Kirche betrug 4800 Quadratmeter, diejenige des Komplexes 12 000 Quadratmeter. Bis zur Errichtung der Hagia Sophia 537 n. Chr. in Konstantinopel war es der größte Sakralbau der christlichen Welt. (Quelle: Wikipedia)

Während unserer Führung durch die sehr gut gepflegte Ruinenanlage begegneten uns einige syrische Schulklassen, die sich im Vergleich auffallend diszipliniert verhielten. Ein Lehrer ermunterte seine Schüler zu einem gut einstudierten Klatschrhythmus als er sah, dass seine Schützlinge von mir gefilmt wurden. Nach dem 3-stündigen Aufenthalt im Symeonskloster hatten wir uns dann eine Erfrischung unter schattenspendenden Bäumen verdient.

In den Tagen zuvor hatte ich in unserer Reisegruppe vorgefühlt, ob wir nicht doch am Ostersonntag in irgendeiner Form der Auferstehung Christi gedenken könnten und mich angeboten, einen ökumenischen Gottesdienst vorzubereiten. Dieser Vorschlag wurde von vielen unterstützt und auch die Reiseleitung stimmte nach anfänglichem Zögern zu. Im Symeonskloster direkt wäre dies wegen der zahlreichen Touristen nicht recht möglich gewesen, aber unser syrischer Führer Samer hatte die Idee, diese kleine Feier im zweiten Ziel des Tages, in der Mushabbak-Basilika, anzusetzen. Ich war mit dieser Lösung natürlich einverstanden und hatte sowohl ihn als auch unseren moslemischen Busfahrer eingeladen, an diesem Gottesdienst teilzunehmen.

Gerade mal 8 km entfernt steht auf einer verkarsteten Hügelkuppe diese alte Kirchenruine. In ihrer Umgebung wurden keine Hinweise auf eine antike Bebauung in größerem Umfang gefunden, was gegen eine Verwendung als Wallfahrtskirche oder als Gemeindekirche spricht. Somit war es wohl eine Zwischenstation für Pilger gewesen, die von Aleppo zum Wallfahrtszentrum des Symeon unterwegs waren. Nach einem kurzen Rundgang durch die Kirche rief ich die Gruppe zusammen und jeder suchte sich eine Sitzgelegenheit auf einem der alten Steine. Auferstehungslieder, Gebete und ein paar Gedanken zur Bedeutung der Auferstehung Christi für unseren Glauben hatte ich zu einer kleinen Wortgottesfeier zusammengestellt. Am Ende reichten wir uns die Hände und erbaten den Segen Gottes für unsere weitere Reise. Die Reaktionen zeigten mir, dass dieser Gottesdienst allen Teilnehmern gut getan hatte. Die beiden Muslime bedankten sich sogar mit einer brüderlichen Umarmung dafür, dass sie hatten dabei sein dürfen.

Am späten Nachmittag treffen wir wieder in Aleppo ein. Bis zum Abendessen sind noch 4 Stunden Zeit und so machen wir uns auf zu einem Streifzug zu zweit zunächst durch das armenische Viertel und später auch noch einmal durch die engen Gassen des größten Souk der Altstadt: Unbeschreibliche Bilder und Gerüche! Orientalische Sitten und immer wieder diese unwahrscheinliche Freundlichkeit der Syrer! Schließlich geht es wieder zurück. Hinter unserem Hotel sind die Reste des Gemüse- und Fleischmarktes noch nicht alle weggeräumt. Es stinkt fürchterlich! Wenige Meter daneben bieten Händler frisches Gebäck und Süßigkeiten an. Ein junger Mann grüßt uns freundlich und wir kommen ins Gespräch. Er heißt Mahmoud Dabbak. Er ist Student und arbeitet nebenbei als Dolmetscher für die Firma Caterpillar in Aleppo. Der Händler hier an diesem Stand ist sein Onkel. Mahmoud ist 26 Jahre alt, also etwa so alt wie unsere Söhne. Uns fallen seine guten Manieren auf.

Als wir uns verabschieden, macht er den Vorschlag, dass er uns vielleicht morgen etwas von Aleppo zeigen könnte, wenn wir es wünschten. Unser Bedauern ist ehrlich, als wir sein Angebot ablehnen müssen, da unsere Reisegruppe morgen früh die Stadt wieder verlassen würde. Nach einer kurzen Pause sagt er in fließendem

Englisch: "And how about tonight after your dinner?" Wir schauen uns an und sind unsicher, ob das ein guter Plan sein könnte. Sicher, er ist ein netter junger Mann, aber wir kennen ihn ja nicht. Sollten wir mit ihm nachts in Aleppo unterwegs sein? Ein komisches Gefühl in der Magengegend lässt uns zögern. Da holt Mahmoud einen Zettel aus seiner Tasche und schreibt uns seine Handynummer auf. Wir könnten es uns ja überlegen und wenn wir dann Lust darauf hätten, könnten wir ihn ja um 21 Uhr anrufen. Wir winken uns freundlich zu und trennen uns.

Auf unserem Zimmer wogen wir natürlich Vorteile und Risiken eines solchen Treffens gegeneinander ab. Elisabeth war skeptischer als ich, das war von vorn herein klar gewesen. Noch hatten wir ja eine gute Stunde Zeit, um uns zu entscheiden. Also gingen wir erst einmal in den Speisesaal. Während des Abendessens kreisten meine Gedanken immer um diese Frage: Sollen wir oder sollen wir nicht? Wir erzählten unseren Freunden davon. Sie rieten uns eher davon ab. Aber sie hatten Mahmoud ja auch nicht kennen gelernt, kannten ihn ja überhaupt nicht. Vor der Nachspeise war mir klar: Diese Gelegenheit, mit einem einheimischen jungen Mann durch Aleppo zu gehen, dürfen wir uns nicht entgehen lassen. Unsere Freunde nahmen uns das Versprechen ab, dass wir gut auf uns aufpassen würden. Wann immer wir zurück ins Hotel kämen, sollten wir sie in ihrem Zimmer anrufen, damit sie danach ruhig schlafen könnten. Auch unserem Organisator sagte ich kurz Bescheid; auch er war etwas besorgt, wünschte uns aber viel Spaß.

Vom Zimmertelefon aus - ein Handy hatte ich damals noch nicht - rief ich um 21 Uhr an und Mahmoud freute sich, dass das Treffen zustande kam. Er teilte uns mit, dass er als Syrer nicht ins Hotel kommen dürfe, um uns abzuholen. Deshalb vereinbarten wir den Treffpunkt an der nächsten Straßenkreuzung. Wir machten uns auf den Weg und trafen Mahmoud vielleicht 100 m vom Hotel entfernt. Wir stellten uns noch einmal und etwas ausführlicher vor. Mahmoud Dabbak stammte aus Idlib, so erzählte er uns. Da wir erst zwei Tage zuvor in seiner Heimatstadt waren, um uns im Museum dort die uralten Tontafeln aus Ebla anzusehen, hatten wir gleich ein Gesprächsthema und wir berichteten von den bisherigen Stationen unserer Syrienreise. Er möchte uns zunächst einladen zu einem Cocktail, sagte er und deutete in Richtung Altstadt. Ich stutzte etwas, denn das hätte ich von einem Moslem erst einmal nicht erwartet. Wir stimmten aber zu und gemeinsam starteten wir in ein Abenteuer mit ungewissem Ausgang.

Als wir vor der "Cocktail-Bar" standen, löste sich das erste Rätsel bereits auf: Wir betraten nämlich ein grell beleuchtetes Obstgeschäft, das ein paar Sitzgelegenheiten hatte. Junge Leute um uns herum, die uns freundlich grüßten, als wir am Nachbartisch Platz nahmen. Mahmoud deutete an, dass er gleich wieder da wäre. Er ging zur Theke, holte drei mit Orangensaft gefüllte Gläser und brachte sie an unseren Tisch. Das waren also die Cocktails! Sie schmeckten hervorragend! Wir unterhielten uns ein wenig über unsere Familien, über Beruf und Studium. Wir fühlten uns wohl in Mahmouds Gesellschaft. Auf der Preistafel über der Theke entdeckte ich den Preis für ein Glas Saft: 20 Syrische Pfund (Damals umgerechnet ca. 10 Cent). Als die Gläser geleert waren, führte er uns weiter die Anhöhe hinauf in Richtung Zitadelle. Jetzt am Abend war die Burganlage, die wie eine Krone über der Altstadt aufragt, hell beleuchtet. Die Temperatur war angenehm. Viele Menschen, hauptsächlich Männer, saßen in den Gartenlokalen am Fuß der Zitadelle. Man trank Tee und mancher rauchte eine Wasserpfeife.

Auch wir setzten uns in eine Gaststätte und ich lud Mahmoud zu einem Tee ein. Unsere Gespräche waren Fragen über Fragen, die wir uns gegenseitig stellten. Wie wir uns kennen gelernt hätten? Wie man in Deutschland mit einem Mädchen in Kontakt kommt? Wie lange wir uns kannten vor der Hochzeit. Auch wir wollten vieles wissen: Hast du denn eine Freundin? Und er schwärmte von seiner "Sphinx", wie er sie nannte. Auch eine Studentin an der Uni. Er liebt sie über alles. Aber er hat sie noch nicht angesprochen. Sie weiß noch nichts von seiner Liebe! Zu seiner Hochzeit mit ihr vielleicht im nächsten Jahr möchte er uns herzlich einladen! Mit seiner Freundin hier im Café zu sitzen, ist unmöglich. Das würden die beiden Familien niemals erlauben! ...

Jetzt unterbrach Mahmoud die Unterhaltung. Die Frage, die er nun stellen wollte, war ihm ein wenig unangenehm. Dann stellte er sie doch: Er habe einen Freund, Achmad, ebenfalls aus Idlib, dem er von unserem Treffen erzählt hätte, und der habe gerade eine SMS geschrieben, ob er wohl dazustoßen könne? Wenn es uns recht sei, dann könnte er ihm Bescheid geben. Wir stimmten zu und strahlend nahm er sein Handy und rief den Freund an. Ein paar Minuten später kamen dann sogar zwei seiner Freunde, setzten sich dazu und weiter ging das Gespräch über das Leben in Deutschland und hier in Syrien. Die Zeit verging wie im Flug. Was schon 10 vor zwölf? Wir mussten zurück ins Hotel! Der Heimweg dauerte lang, denn immer wieder blieben wir stehen und erzählten uns, was wir gerade eben erfahren hatten. Elisabeth lief mit Mahmoud und die beiden anderen gingen mit mir, aber immer wieder stellten wir uns zusammen. Es wurde viel gelacht, immer wieder kamen neue Ideen, immer wieder andere Alltagssituationen, die die anderen fast nicht glauben konnten.

Kurz vor 1 Uhr sind wir erst wieder zurück vor dem Amir Palace. Der Abschied naht und irgendwie wissen wir doch alle, es wird ein Abschied für immer sein. Dementsprechend emotional ist die Stimmung. Ahmad überlegt, was er uns mitgeben könnte. "Eine Kiste Äpfel aus Idlib vielleicht?" Er belässt es bei einem Kuli, mit dem ich dann meinen Eintrag ins Reisetagebuch am nächsten Tag schreibe. Mahmoud überlegt kurz und schenkt Elisabeth seine Misbaha, eine Art "Handwurf-Rosenkranz", den fast jeder männliche Moslem stets bei sich hat und oft gebetsmühlenartig ums Handgelenk wirft und fängt. Die Adressen werden ausgetauscht. Alles Gute für das Studium und fürs Leben wünschen wir den dreien und sie wünschen uns noch viel Freude auf unserer Reise und dann eine gute Heimreise nach Deutschland. Kurze Umarmungen von Freunden und dann ist dieser Ostersonntag des Jahres 2004 und damit einer der schönsten Tage in Syrien, vielleicht sogar meines gesamten Lebens, vorbei.

Über die Wüstenstadt Resafa ging es anschließend in einem großen Bogen nach Palmyra mit seinen damals noch gut erhaltenen Kolonnaden, Tempeln und dem großen Theater. Diese Rundreise durch den Norden des Landes fand in Palmyra seinen geschichtlichen und architektonischen Höhepunkt; mein persönliches Highlight waren jedoch die Erlebnisse am Ostersonntag!

BURKINA FASO

DIE VERSPÄTETE GELBFIEBERIMPFUNG

Ich habe einen afrikanischen Freund. Er lebt in Ouagadougou, der Hauptstadt des westafrikanischen Staates Burkina Faso, also des "Landes des aufrichtigen Menschen", wie das ehemalige Obervolta seit seiner Unabhängigkeit heißt. Dieser auch tatsächlich aufrichtige Mensch heißt Formouzeré Adamá Zala, ist verheiratet mit Haoua Zala, hat zwei Söhne und zwei Töchter und inzwischen auch zwei Enkel. Er arbeitet in seiner Heimat als selbstständiger Architekt. Kennen gelernt habe ich ihn Anfang der 80er Jahre in Würzburg, als er nach dem Abitur in seiner Heimat als 20-jähriger junger Afrikaner in einem Deutschkurs der Carl-Duisberg-Gesellschaft e.V. unsere Sprache erlernte. Im Internationalen Arbeitskreis (IAK) Würzburg begegneten wir uns bei den verschiedensten Freizeitgestaltungen. Ich erlebte ihn als freundlich, intelligent, fleißig, konsequent und als gläubigen Christen, der erst kurz zuvor den muslimischen Glauben seiner Eltern abgelegt hatte und zum Christentum in einer evangelischen Freikirche konvertiert war. Wir wurden Freunde.

Als er nach seinem Sprachkurs Würzburg in Richtung Schleswig-Holstein zum Fachhochschulstudium der Architektur verlassen hatte, blieb unsere Verbindung auch deshalb erhalten, weil er engen Kontakt hielt zu unseren Verwandten in dieser Gegend. In bester Erinnerung blieb mir aus dieser Zeit sein 14-tägiges "Berufspraktikum", das er 1984 während des Baus unseres Hauses in Zahlbach absolvierte. Damit löste er ein Versprechen ein, das er mir einmal gegeben hatte: "Wenn ihr dann einmal baut, dann helfe ich euch!" So kam es dann tatsächlich dazu, dass die Baufirma Koch ihn in seinen Semesterferien als Praktikant für unsere Bauphase einstellte. Eine kleine Sensation für unser Rhöner Dorfleben, wie man sich vorstellen kann. Schwarzarbeit in seiner wahrsten Bedeutung!

Für Zala stand immer fest, dass er nach seinem Studium wieder zurück nach Burkina Faso gehen würde, um dann dort seine erlernten Fähigkeiten für den Aufbau seines Heimatlandes einzusetzen. Als wir kurz vor seiner Rückreise noch einmal bei ihm vorbeischauten, lud er meine Frau und mich dazu ein, ihn in naher Zukunft einmal zu besuchen. Etwas voreilig versprach ich dies, wohl wissend, dass es nicht leicht werden würde, eine solche Reise nach Afrika in die Tat umzusetzen. Es dauerte dann auch 10 Jahre bis ich mich entschloss, meinen afrikanischen Freund einmal zu besuchen.

Im Frühjahr 1996 schilderte ich Zala diese Pläne in einem Brief und fragte ihn, welche Reisezeit er uns denn empfehlen würde. Seine Reaktion kam prompt. Er freute sich riesig und empfahl die Weihnachtsferien als beste Möglichkeit, uns vor einer befürchteten Malaria-Erkrankung zu schützen. Im Dezember, also in der Trockenzeit, sollten wir kommen. Wir könnten bei ihm wohnen und er werde sich um das Programm und unser Wohlergehen bemühen. Nun begannen die Vorbereitungen: Welche Impfungen sind vorgeschrieben? Was ist bei der Einreise zu beachten? Wo tauscht man am besten das Geld? Welche Flüge gibt es und wie teuer wird das alles? Was bringen wir als Gastgeschenk mit?

Bei meiner Gelbfieber-Impfung gab es ein paar Probleme: Wir hatten drei Monate vor der Reise einen Termin vereinbart in der für solche Impfungen zuständigen Tropenklinik im Missionsärztlichen Institut in Würzburg. Meine Frau und ich saßen im Wartezimmer und wurden schließlich herein gerufen. Bei der Frage des Arztes, ob wir in den letzten Wochen irgendwelche Medikamente eingenommen hätten, erzählte ich, dass ich wegen einer starken Erkältung vor einem Monat Antibiotika verschrieben bekommen und eingenommen hätte. Dann könne er mich heute nicht gegen Gelbfieber impfen, sagte der Mediziner mit bedauerndem Achselzucken. Ich sollte in zwei Monaten erneut zur Impfung erscheinen. Meine Frau wurde geimpft, aber ich eben nicht. Warum ich das so detailliert berichte, wird später zu verstehen sein.

Die Vorbereitung auf unser erstes Afrika-Erlebnis schritt voran und erfolgte natürlich parallel zur Alltagsroutine: Unsere Arbeit für meine Schüler und für Elisabeths Labor, unser Familienalltag mit unseren beiden Söhnen, unser Freizeitstress für meine Volleyballerinnen im TSV Wollbach und für Elisabeths Einsatz im Gemeinderat. Bei einem Telefongespräch mit Zala fragte ich einmal, was wir denn mitbringen könnten aus Deutschland. Er machte mir deutlich, dass es zahlreiche Menschen in seiner Kirchengemeinde und Nachbarschaft gebe, die nur ein Hemd und eine Hose hätten. Ich möge versuchen, gebrauchte alte Kleider zu sammeln. Auch sei die Versorgung mit Medikamenten in Burkina Faso miserabel. Alle Arzneimittel, die in unserer Hausapotheke dahin schlummerten, sollte ich mitbringen, egal ob das Haltbarkeitsdatum abgelaufen sei oder nicht - Sie könnten alles gebrauchen! Wir sprachen also alle unsere Freunde und Bekannte an und sammelten Kleider und Medikamente wie die Weltmeister.

Neben diesen sicherlich notwendigen und Not wendenden Dingen wollten wir aber auch etwas mitbringen, was Zala für seine Familie oder sein Büro gut gebrauchen könnte. Auf meine Frage in diese Richtung zögerte mein Freund verständlicher Weise und erst nach mehrfacher Aufforderung wagte er den folgenden Satz: "Walter, was ich wirklich dringend brauche, aber hier nicht bekomme, ist ein moderner Laser-Drucker von HP für mein Büro!" Und er erklärte mir, dass all seine eigene Arbeit und die seiner Mitarbeiter im Vorfeld einer Architektur-Ausschreibung geradezu wertlos würden, wenn der Druck der Ausschreibung auf seinem veralteten Gerät vollzogen würde. Auf der einen Seite also alte gebrauchte Hemden und eventuell abgelaufene Arzneimittel und auf der anderen Seite der neueste Laserdrucker! Doch ich verstand und obwohl er angekündigt hatte, den Drucker zu bezahlen, legten meine Freunde und ich zusammen und wir brachten schließlich das Hewlett-Packard-Gerät als Geschenk mit nach Afrika.

Bei all diesen Planungen versäumte ich doch tatsächlich eine rechtzeitige Anmeldung zu meiner Gelbfieberimpfung. Ich hatte nicht bedacht, dass diese Impfung 10 Tage vor der Einreise erfolgt sein musste. Als ich am 13.12.1996 - übrigens ein Freitag - die Missions-ärztliche Klinik in Würzburg wegen einer Terminvereinbarung kontaktierte, war es schon der elfte Tag vor dem Abflug. Der zuständige Arzt war bereits ins Wochenende gegangen. Die Sprechstundenhilfe empfahl mir, bei der Bundeswehr in Hammelburg mein Glück zu versuchen, denn dort gäbe es ebenfalls einen Tropenarzt, der diese Impfung durchführen dürfe. Meine Versuche, den dortigen Doktor am Wochenende zu erreichen, scheiterten jedoch ebenfalls. So blieb mir nichts anderes übrig, als - zwei Tage zu spät - die Gelbfieberprophylaxe am Montag dann doch in Würzburg nachzuholen. 'Wird schon nicht so schlimm sein, wenn das Impfdatum nicht ganz stimmt!', so oder so ähnlich versuchte ich die in mir aufkeimende Nervosität zu beruhigen. Nach der Schule am Montag fuhr ich also von Schondra aus direkt nach Würzburg. Als ich dem Arzt von meinen Terminproblemen erzählt hatte, zeigte er Verständnis für meine schwierige Situation und datierte kurzer Hand die Impfung zurück auf Freitag. Dies beruhigte meine Nerven und vor allem die Nerven meiner Frau, die sich in solchen Situationen immer besonderem Stress ausgesetzt fühlt.

Unser Flug war für Heiligabend gebucht. Ein ungewöhnlicher Reisetag für uns und unsere Kinder, die damals aber im Hinblick auf die weihnachtlichen Festtage noch auf die Großeltern und vor allem auf die Kochkünste ihrer Oma zurückgreifen konnten. Der Drucker war gekauft, die Medikamente besorgt und die "Altkleidersammlung" abgeschlossen. So langsam ging es ans Kofferpacken. Ich habe noch die grüne Sporttasche vor meinem geistigen Auge, in die wir den Drucker ohne schützenden Karton gestellt und mit den "Altkleidern" so ausgepolstert hatten, dass niemand auf die Idee kommen sollte, sie bei einer etwaigen Einreisekontrolle zu öffnen. Ähnlich erging es den Medikamenten, nur dass diese ihre Verpackung behalten durften. Die Ferien hatten begonnen. Es konnte los gehen. In Frankfurt bestiegen wir ein Flugzeug, das uns zunächst nach Brüssel brachte, denn nur von dort konnte man relativ direkt und preisgünstig nach Ouagadougou fliegen. Zeitzonen werden übrigens bei diesem Flug nach Westafrika nicht gewechselt, denn die Längengrade von Belgien und Burkina Faso unterscheiden sich kaum.

Nach 6 Stunden Flug landeten wir in Ouagadougou. Im Gegensatz zu den unzähligen Flugzeugen in Frankfurt und Brüssel war unsere Maschine in Burkina die einzige, die auf dem Gelände stand und abgefertigt wurde. Wir nahmen unser Gepäck vom einzigen Kofferband des Flugplatzgebäudes und gingen zur Einreisekontrolle. Dort interessierte sich der Kontrolleur interessanter Weise kaum für Reisepässe oder Passbilder. Das Einzige, was er sehen wollte, waren unsere Impfausweise und genau studierte er das Datum der jeweiligen Gelbfieberimpfung. Er war zufrieden und ich natürlich auch! Ob ich wohl drei Tage hätte warten müssen, bis ich das Flughafengebäude hätte verlassen dürfen? Noch heute ein herzliches Dankeschön dem Würzburger Tropenarzt! Wir durften also weiter gehen in Richtung Zollkontrolle. In diesem Moment entdeckten uns Zala und seine Frau, sie riefen und winkten uns zu. Ihre beiden Töchter, Aischa und Fadime, damals 8 und 5 Jahre alt, schlüpften unter dem Absperr-Geländer hindurch, rannten uns entgegen und fielen uns in die ausgestreckten Arme. Aischa nahm die grüne Tasche und zog mich in Richtung ihrer Eltern. In der allgemeinen Wiedersehensfreude, den herzlichen

Umarmungen und den obligatorischen 3 oder 4 Wangenküsschen, "übersahen" wir die Zollkontrolle und - da uns niemand daran hinderte - verließen wir gemeinsam mit der Familie Zala das Gebäude. Es war etwa 21.00 Uhr und die Hitze von vielleicht 30 °C fiel mir jetzt erst so richtig auf. Ich sah enttäuschte Blicke von Taxifahrern, die feststellen mussten, dass wir alle im Geschäftswagen von Zala, einem Mitsubishi Pajero, Platz fanden.

Wir fuhren zur Sektion 17, einem der über 30 Stadtteile dieser damals 500 000 Einwohner zählenden Stadt, wo Zala sein eigenes Haus gebaut hatte. Nichts im nächtlichen Ouagadougou deutete darauf hin, dass heute Heiligabend war. Natürlich keine Christbäume, das war mir schon klar gewesen, aber auch nirgends ein beleuchteter Stern oder etwas Weihnachtliches. Hinter erdfarbenen, mannshohen Mauern verbargen sich die Häuser. Nur wenige geteerte Hauptstraßen, sonst nur rötlich braune Erdwege mit zahlreichen Unebenheiten, die nur Schritttempo erlaubten. So auch die Straße 17 345 (Die genaue Zahl ist ohne Gewähr!) zum Haus der Familie Zala. Verkehrszeichen und Straßenbeleuchtung gab es nicht. Zala hupte zweimal kurz und bog in seine Garage ein, vor der sein Nachtwächter auf einem kleinen Schemel gesessen hatte und aufgesprungen war, als er die Hupe hörte. Wir wurden ins Wohnzimmer geführt und mir fielen sofort die schon etwas blind gewordenen Butzenscheiben der Fensterfront auf. Diese Scheiben hatte Zala ebenso aus Deutschland mitgebracht wie die Polstersessel und den Couchtisch. Zala hatte mir eine einzige Flasche Bier besorgt und überreichte sie mir zum Begrüßungstrunk. Normaler Weise gibt es nämlich im Hause Zala keinen Alkohol. Zum Abendessen gab es Hühnchen mit Reis und es schmeckte vorzüglich, was Haoua (zu deutsch: Eva) auf den Tisch brachte.

Als wir laute Geräusche und Stimmen im Haus vernahmen, erklärte uns Zala, dass gerade unser Bett gemacht würde. Wenig später wussten wir dann, dass er damit nicht etwa Bettdecke und Kissenbezug gemeint hatte, sondern das Bettgestell selbst: Hammer und Schraubenzieher waren in unserem Zimmer im Einsatz!

Der Hausherr bot uns nach dem Essen an, mit uns zur katholischen Kathedrale ins Stadtzentrum zu fahren. Dort könnten wir die Christmette mitfeiern, wenn auch nicht den gesamten Gottesdienst. Wir nahmen dieses Angebot dankend an, denn wir wollten schon einmal erleben, wie Weihnachten in Burkina Faso gefeiert wird. Parkplatzprobleme gab es bei unserer Ankunft vor dem Dom keine. Die meisten Menschen waren entweder zu Fuß oder mit dem Fahrrad gekommen. Nach Farben geordnet standen Hunderte von Rädern fein säuberlich in Reih' und Glied. Da die große Kirche schon lange überfüllt war, hatte man den zahlreichen Gläubigen Sitzplätze auf dem Boden im Freien angeboten. Dazu waren mit Kreidestrichen große Rechtecke für ca. 50 Personen hinter dem Gotteshaus auf die Erde aufgezeichnet worden und Ordner achteten darauf, dass niemand seine Füße auf einen solchen Strich setzte oder gar darüber hinaus. Über Lautsprecher hörte man die Gebete und Gesänge aus dem Kircheninneren. Eine Beleuchtung gab es hier draußen nicht.

Wir sahen also nicht viel und wir verstanden natürlich auch die Sprache nicht, in der gesungen und gesprochen wurde. Deshalb machten wir Zala deutlich, dass wir nicht viel länger bleiben wollten. Wieder im Auto machte er den Vorschlag, nun auch in seiner evangelikalen Kirche vorbei zu schauen, wo gerade ebenfalls die Christmette gefeiert würde. Wir stimmten gerne zu und zurück ging es an den Rand der Sektion 17. Hier außerhalb der Stromleitungen und ohne Kanalisation und Wasserversorgung war aber noch lange nicht das Ende der Stadt erreicht. Die Hütten waren einfacher, die Mäuerchen um sie herum deutlich niedriger. Schon von weitem sahen wir an einem Haus beleuchtete Fenster. Ein einziges Stromkabel versorgte lediglich diese kleine Kirche mit Strom.

Wir betraten das Gotteshaus und staunten nicht schlecht. Im Schein einer einzigen Neonröhre wurde Weihnachten in einer Art gefeiert, wie wir es uns in Europa nicht einmal vorstellen können. Eine überaus lockere Stimmung herrschte im Saal, es wurde fröhlich gesungen und in Festtagskleidung getanzt. In den Reihen der Gläubigen schlief jeder

Zweite und bald gehörte auch Elisabeth zu dieser Fraktion. Ich selbst sog diese Atmosphäre auf, denn sie zeugte von erfrischendem Glauben und großer Lebensfreude in all der Armut dieses Viertels. Wir blieben etwa eine halbe Stunde, bevor uns Zala wieder zurück nach Hause brachte. Schnell verabschiedete er sich von uns und fuhr zurück, denn er wollte das Glaubensfest in seiner Kirche bis zum Ende gegen 3 Uhr mitfeiern, hatte er doch schon mehr als die Hälfte davon versäumt.

Haoua brachte uns in unser Zimmer, wo das Bett inzwischen sowohl fertig gebaut, als auch mit dunkelblauen Tüchern bezogen war. Eine Türe fehlte und dort, wo der Architekt eine Aussparung für ein Fenster gelassen hatte, fehlte das Fenster. Wir waren todmüde und schliefen trotz der immer noch großen und ungewohnten Hitze. Als wir am nächsten Morgen erwachten, waren unsere Körper übersät von blauen Flecken: Die Bettwäsche hatte ihre Farbe an unsere Haut abgegeben!

In den folgenden 10 Tagen erlebten wir Afrika pur, nicht vom Hotelstrand aus und nicht auf einer Safari, sondern mitten in der Großfamilie Zala.

BURKINA FASO

WILDERER IM NATIONALPARK

Wir erlebten Weihnachten mitten in Afrika in einem der ärmsten Länder der Welt. Die Familie meines Freundes Zala stammt aus Ouagadougou und deshalb konnten wir dort seine Mutter und seine Brüder mit ihren Familien bei verschiedenen Gelegenheiten kennen lernen. Eines Morgens wurden wir sehr bald geweckt, denn Zala wollte uns den König seines Stammes, der Mossi, "vorstellen". Jeden Freitag um 7.30 Uhr findet vor dessen Palast eine nicht ganz ernst gemeinte Zeremonie statt, die jedoch auf historischen Ereignissen beruht: In Stammesgewänder farbenfroh gekleidete Berater "überreden" im Rahmen eines kleinen Theaterstückes den von anderen Stämmen gereizten König der Mossi dazu, keinen Krieg zu führen. Nur gut, dass er sich auch am 27.12.1996 davon hat überzeugen lassen, sonst wäre das weitere Programm unseres Afrika-Aufenthaltes gefährdet gewesen. Zum Beispiel auch die erlebnisreiche Fahrt zusammen mit Zala und Haoua am darauf folgenden Tag, von der ich nun erzählen möchte.

Erstes Ziel des Tages waren die "Heiligen Krokodile" von Sabou. Wir fuhren auf der "Route Nationale 1" in Richtung Bobo Dioulasso. Am Stadtrand von Ouagadougou mussten wir erst einmal anhalten. Eine Straßenkontrolle, die ein Fremder wohl übersehen könnte, war etwa

71

50 m von der Straße entfernt in einem kleinen Lehmhaus untergebracht. Zala hielt an und begab sich in das Kontrollhäuschen. Auch wir stiegen aus und - umlagert von einer Gruppe junger Leute, die irgendwelche Kleinigkeiten verkaufen wollten, - betrachteten wir schreckliche Unfall-Fotos an einer Plakatwand. Auf diese Weise versuchte man, die Auto- und LKW-Fahrer daran zu erinnern, auf dieser Hauptverkehrsstraße in Richtung Mali und Elfenbeinküste einigermaßen vorsichtig zu fahren. Nachdem Zala kontrolliert war und die Straßenbenutzungsgebühr entrichtet hatte, stiegen wir wieder ein, aber bevor unser Fahrer den Motor startete, begann er zu beten. Abwechselnd auf französisch und deutsch bat er Gott um seinen Segen für diese Fahrt und um seinen Schutz. Wieder einmal war ich beeindruckt von dem tiefen Glauben meines Freundes. Ein solches Gebet hatte ich zuvor in einem PKW vor einer Ausflugsfahrt noch nicht erlebt.

Aus meiner Jugend kenne ich noch die eiserne Stand-Fahrradpumpe, die lange auch bei meinen Eltern im Keller zu finden war. Ab und zu sah ich jetzt solche Gestelle am Fahrbahnrand stehen. Niemand war weit und breit zu sehen, dem sie gehören würde. Zala klärte uns auf: "Seht ihr den Baum da etwa 100 m in der Savanne? In ihrem Schatten sitzt der Besitzer und wartet auf Kunden, denen die Luft ausgegangen ist. Dann kommt er heran und verlangt die Benutzungsgebühr." Eine clevere Geschäftsidee, denn es waren wesentlich mehr Fahrräder unterwegs als Autos.

Nach ca. 20 Kilometern bogen wir nach rechts in eine Sandpiste ein. Wir kamen in das kleine Dorf Bazoulé, das bekannt ist für seine heiligen Krokodile. Weil die Dorfbewohner glauben, dass diese Tiere ihre Vorfahren verkörpern, sind sie ihnen heilig. Zala kannte sich aus und ging zu einer Hütte oberhalb des Sees, um dort eine Führung zu vereinbaren. Im Preis inbegriffen war ein totes Hühnchen, das von dem Guide an einen Stock gebunden und dazu verwendet wurde, die Krokodile aus dem Wasser zu locken. Lag es an der Mittagshitze oder an der Lustlosigkeit unseres Führers? Es dauerte auf jeden Fall eine ganze Weile, bis sich ein einziges äußerst träges Krokodil blicken ließ. Das vermeintliche "Lock-Hühnchen" übte allerdings keinerlei Reiz bei diesem Tier aus. Deshalb halfen zwei einheimische Männer ein wenig nach und zerrten das Krokodil am Schwanz aus dem Wasser. Es bewegte sich kaum und Zala forderte mich tatsächlich dazu auf, mich für ein Foto darauf zu setzen. Bis dahin war mir nicht bekannt gewesen, dass man Krokodile auch reiten kann, aber ich ließ es mit mir geschehen. Etwas grotesk das Ganze! Ein paar Jungs aus dem Dorf hatten uns bei der Aktion recht schüchtern und aus der Ferne begleitet. Mit einem der Buben konnte ich mich in Englisch ein wenig unterhalten und er schrieb mir sogar die Adresse seiner Schule auf unsere Quittung mit der Bitte, ihm aus Deutschland einmal zu schreiben. Er hieß Bougoum Tégawindé und ging in die 5. Klasse der Schule in Sabou. Ein kleines Geldgeschenk bekam er von mir schon jetzt und den Brief schickte ich ihm ein paar Wochen später auch!

Wir fuhren weiter auf der N1 nach Boromo. Dort hatte Haoua ein Treffen mit ihrem Vater ausgemacht, der dort wohnte und als Wildhüter im Nationalpark "Deux Balés" arbeitete. Er erwartete uns schon und nachdem wir sein neues Grundstück angeschaut hatten, starteten wir mit einer Tante von Haoua und einem seiner Mitarbeiter zur Suche nach wild lebenden Elefanten. In diesem Naturschutzgebiet gab es noch etwa 250 dieser Tiere, aber auch Löwen, Antilopen, Affen und viele andere Tierarten. Zu siebt im Pajero ging es zunächst ca. 25 km zurück Richtung Ouagadougou und dann rechts weg nochmal 10 km auf staubiger Piste. Plötzlich entdeckte unser Führer Spuren von Elefanten, die quer über die Straße verliefen. Er stieg aus, um die Abdrücke im Staub zu begutachten. Seiner Ansicht nach stammten die Fußspuren vom frühen Morgen. Also ging die Fahrt noch ein wenig weiter und dann in der Nähe einer Wasserstelle rechts in die Wildnis hinein. Und tatsächlich stand plötzlich ein Elefant in 30 m Entfernung vor unserem Auto. Ich wollte sofort aussteigen, um zu fotografieren, wurde aber zurückgehalten.

Nur unser Führer mit Gewehr und Sprechfunkgerät stieg aus und wir fuhren zurück auf die Piste. Haouas Vater erklärte uns, dass es viel zu gefährlich gewesen wäre, dem Tier so nahe zu sein. Es sei ein einzelner Elefant, der wahrscheinlich die Aufgabe eines Spähers habe, also seine Herde vor Gefahren warnen sollte. Wir warteten etwa 20 Minuten und folgten dann dem Wildhüter in den Busch. In einer sicheren Entfernung von ca. 150 m sahen wir das Tier dann wieder, wie es genüsslich Äste eines Baumes abriss und verspeiste. Für meinen "drittklassigen" Fotoapparat war das leider zu weit entfernt. Ein wenig enttäuscht waren wir schon, als wir erfuhren, dass wir die gesamte Herde jetzt leider nicht zu Gesicht bekämen. Also wieder zurück zum Auto. Zalas Schwiegervater hatte dann aber eine Idee: "Habt ihr Lust, die Stelle aufzusuchen, an der vor einigen Tagen Wilderer zwei Elefanten getötet haben?" Als kleines Trostpflaster gewissermaßen für die versäumte Elefantenherde! Das wollten wir gerne sehen, auch wenn wir keine Ahnung hatten, was uns da genau erwartete.

Während der Fahrt bekamen wir dann auf französisch erzählt und von Zala übersetzt, was dieser Tage passiert war: Einige Männer aus einem Dorf hatten zwei Elefanten erschossen, um das Fleisch zur Ernährung ihrer Großfamilien zur Verfügung zu haben. Die Schüsse waren zufällig gehört worden und man hatte die Verwaltung des Nationalparks in Boromo angerufen. Haouas Vater rückte mit seinen Leuten aus, um die Wilderer zur Rechenschaft zu ziehen, denn das Töten von Elefanten war und ist streng verboten. Sie überraschten die Männer dabei, als sie die Tiere zerlegten. Fast alle Wilderer konnten jedoch fliehen. Lediglich ein 8-jähriger Junge fiel den Wildhütern in die Hände. Diese Tatsache führte dann natürlich Haouas Vater und seine Leute in das betreffende Dorf, wo die Einwohner gerade eifrig dabei waren, das Fleisch zu kochen. Die Täter wurden festgenommen und mussten dann die heißen Fleischtöpfe auf ihren Köpfen nach Boromo tragen. Dies alles wurde uns mit sichtlicher Genugtuung berichtet, denn es kam in solchen Fällen nicht oft zur Festnahme der Wilderer in diesem riesigen Nationalpark.

Unser Mitsubishi hatte nun die Erdpiste bereits verlassen und Zala steuerte ihn durch die Unebenheiten der spärlich bewachsenen Savanne, ohne dass man noch irgend einen Weg darin erkennen konnte. Wir hielten an einem Flusslauf an und stiegen aus. Das Wasser des Flüsschens war milchig weiß eingefärbt und deshalb konnte man nicht bis auf den Grund sehen. Unsere Führer kannten eine Furt durch das 15 m breite Gewässer und sie fragten uns, ob wir Mut genug hätten, ihnen dort hindurch zu folgen. Eine solche Blöße wollten wir uns natürlich nicht geben und wir zogen unsere Schuhe aus, krempelten die Hosenbeine unserer Jeans hoch und wateten hintereinander durch das erfrischend kalte, knietiefe Wasser ans andere Ufer. Ob wir nicht Angst vor irgendwelchen Schlangen oder anderem Getier hatten? Ja, wir hatten! Drüben unbeschadet angekommen bereiteten uns die Wildhüter schonend auf unangenehmen Gestank und grausige Bilder vor, wenn wir jetzt um die nächste Biegung kämen. Ich atmete noch einmal tief ein und mit dem Foto in der Hand ging ich die letzten Schritte hin zu diesem Schlachtfeld.

Eine Gruppe von Aasgeiern flüchtete sich auf die umstehenden Baumspitzen, als wir um die Ecke kamen. Außer riesigen Knochen hatten sie nicht mehr viel übriggelassen. Haouas Vater bestieg zu meiner Überraschung den Schädel eines der Elefanten und posierte so für ein Foto. Ich hatte genug gesehen, drehte mich um und flüchtete vor Gestank und den Tausenden von Fliegen. Erst am Fluss wagte ich wieder, tief einzuatmen. Wir wateten zurück und erfuhren, dass das Wasser sogar Trinkwasserqualität habe - Probiert hat aber nur Haoua! Zurück in Boromo durften wir sogar einmal dieses Elefantenfleisch versuchen, das zur Trocknung auf dem Ofen im Freien lag. Wenn man lange genug darauf herumgekaut hatte, schmeckte es schon, aber ich brauche das nicht jeden Sonntag! Nachdem wir uns verabschiedet hatten, setzten wir uns in ein Lokal und löschten unseren Durst. Haoua hatte von ihrer Verwandtschaft ein gebratenes Huhn bekommen, das wir zu Omelette und Salat dann aßen.

Die Heimfahrt durch die tiefe Dunkelheit der afrikanischen Nacht beendete einen erlebnisreichen Tag. Die Polizeikontrollen schienen zu so später Stunde auch nicht mehr so konsequent zu sein. Und immer wenn die Polizisten den "deutschen Botschafter" (Witzchen von Zala!) auf dem Beifahrersitz sahen, winkten sie uns schnell durch. Da war dann wohl nicht mit einem großen Schmiergeldbetrag zu rechnen! Die Hitze war auch am späten Abend noch fast unerträglich. Im Fernsehen zu Hause erfuhren wir erstmals von der großen Kälte in Deutschland und Europa. Auch das mit den Temperaturen in der Welt könnte doch irgendwie "gerechter" verteilt sein!

Drei Tage später war Silvester 1996. Was wir an diesem Jahreswechsel erleben durften, erzähle ich in meiner nächsten Geschichte.

BURKINA FASO

ÜBERRASCHUNG BEIM SILVESTER-BALL

Seit sieben Tagen waren wir nun schon Familienmitglieder im Hause Zala. In der Sektion 17 von Ouagadougou kannten wir uns bereits ein wenig aus und wenn wir in die Stadt zum Markt oder in die Kirche fuhren, fanden wir immer wieder sicher zurück zu "dem Haus mit Keller", so nennen die Leute in der Sektion Zalas Haus, das als einziges ein Kellergeschoss besitzt. Wo immer wir auftauchten, wir hatten das Gefühl, dass alle Menschen in dieser Metropole die beiden Weißen schon kannten, die am vergangenen Sonntag sogar mit vier kleinen schwarzen Mädchen an den Händen in der Kathedrale waren und anschließend durch den Sonntagsmarkt schlenderten. Bekannt wie ein bunter Hund - diese Redewendung traf es haargenau!

Dieser letzte Tag des Jahres 1996, der seinen Höhepunkt am späten Abend haben sollte, war zunächst gefüllt mit Erlebnissen in der Innenstadt. Wir waren mit dem weißen Peugeot von Haoua unterwegs, den Zala einmal als Entgelt für Architektenleistungen von einem Minister erhalten hatte. Gleich am Morgen versuchten sie mir auf dem Hammelmarkt sehr hartnäckig ein Tier aufzuschwatzen, aber beim besten Willen, was sollte ich damit? Wenn wir schon die Autos der

Familie benutzen durften, wollte ich natürlich auch ab und zu die Tankrechnung bezahlen. Das war aber oft nicht so leicht, denn wenn wir gemeinsam unterwegs waren, ließ mir Zala dazu keine Chance. Also tankte ich an diesem Tag den Peugeot mal voll. Erstes Problem: Wie öffnet man den Tankdeckel eines fremden Autos? Da half dann ein Tankwart, alles gut! Zweites Problem: Ein Teil des Benzins lief nicht in den Tank, sondern tröpfelte in den Sand. (Auch die Tankstelle stand auf der bloßen Erde. Keine Teerdecke weit und breit. Auch 90 % der Straßen der Stadt waren aus Sand oder Erde.) Zalas späterer Kommentar zu dem undichten Tankstutzen: "Peugeot sollte aufhören, Autos herzustellen." Drittes Problem: Die Motorhaube stand ein wenig hoch und ich glaubte, dass ich sie vielleicht versehentlich geöffnet hatte, als ich zuvor auf der Suche nach dem Tankverschluss war. Doch der erneut gerufene Tankwart stellte dann fest, dass dies die Folge eines Unfallschadens sei, den das Auto hatte. Aber das würde schon halten, beruhigte er mich.

Die Suche nach dem Nationalmuseum war unser nächstes Abenteuer. Laut meines Reiseführers sollte es gegenüber des Krankenhauses in einem Gymnasium (Lyceé) untergebracht sein. Aber das war einmal! Das Museum sei jetzt im "Maison de Peuple", sagte man uns dort. Dieses sei im "Relax"-Hotel. An der Rezeption des Hotels wusste jedoch keiner Bescheid. Nach diesem Museum hatte wohl noch keiner gefragt. Wir fanden es dann doch etwas versteckt im Keller. Der Eintritt kostete 300 CFA und da wir keine Eintrittskarten bekamen, wanderte das Geld wohl in die eigene Tasche des Kontrolleurs. Die kleine Ausstellung zeigte recht interessante Skulpturen der verschiedenen Ethnien Burkina Fasos, von denen es 60 gibt. Wir erfuhren auch, dass etwa 70 verschiedene Sprachen in diesem 20 Millionen Einwohner zählenden Land gesprochen werden. Wohlgemerkt keine Dialekte, sondern Sprachen. Die Mehrzahl der Menschen hat muslimischen Glauben, etwa 23 % sind Christen und viele Burkinabe (so nennt man die Menschen hier) verehren ihre alten Stammes-Gottheiten, egal ob sie einer der bekannten

Religionsgemeinschaften angehören oder nicht. In der Nähe des Grand Marché aßen wir eine Kleinigkeit in einem Restaurant, das mit Postern aus Erfurt und Hameln geschmückt war.

Zala musste an diesem Tag seine Mutter nach einem Hundebiss im Krankenhaus behandeln lassen. Er war müde und fühlte sich krank, so dass er sogar seine Jahresschluss-Betstunde ausfallen lassen musste und sich ins Bett legte. Heute am Silvesterabend wollte Haoua aber nicht daheim bleiben. Zusammen mit Karim, ihrem Neffen, der gerade eine Ausbildung zum Kfz-Mechaniker machte und bei seiner Tante wohnte, fuhren wir also wieder in die Stadtmitte. Wohin genau, das wusste sie noch nicht. Mal sehen, ob es irgendwo etwas Gutes zu essen gab! Unterwegs fiel ihr plötzlich ein (oder war das längst ihr Plan gewesen?), dass heute Abend ein großer Silvester-Ball in der Kaserne angesetzt war. Der Eintritt in die "Mess des Officieres" kostete pro Paar 3000 CFA (heute anno 2021 wären das etwa 4 €); wir waren wieder eingeladen - Merci beaucoup! Wir betraten das parkähnliche Gelände und Elisabeth wurde zunehmend nervöser, als sie die fein gekleideten Afrikanerinnen sah. Da wir auf den Besuch eines solchen gesellschaftlichen Großereignisses nicht eingestellt waren, hatten wir uns nicht einmal umgezogen vor der Abfahrt. Haoua beruhigte sie: "Ihr seht doch super aus!" Aber Elisabeth wusste um ihre rötlich staubigen Füße in ihren Sommerschuhen. Und ein Ballkleid hatte sie ja auch nicht an, sondern lediglich die Jeans und Bluse vom Vormittag!

Nun begann die Suche nach einem guten Platz für 6 Personen, da sich uns auch ein Freund Zalas mit seiner Frau angeschlossen hatte. Es gab auf diesem Freigelände vor der Offiziersmesse vier verschiedene Sitzplatz-Gruppierungen und da wir relativ spät eingetroffen waren, erkannten wir schnell, dass die ersten beiden Gruppen nicht für uns gedacht und auch schon besetzt waren. Hinter einem weiß gedeckten langen Tisch an der Stirnseite der recht großen Tanzfläche saßen hochgestellte Personen auf fast thronartig anmutenden Stühlen. Da sah ich hohe Offiziere und Haoua erkannte Minister mit ihren Gattinnen. Auch die zweiten Sitzgruppen waren nichts für uns. Dort hatten junge

Offiziere mit ihren Damen in tiefen Ledersesseln an niedrigen Couchtischen Platz genommen. Also weiter! Nun erreichten wir Sitzgruppen mit normalen Stühlen und ungedeckten Holztischen, die aber alle besetzt oder mindestens reserviert waren. Und unser Blick ging schon voraus auf die vierte Variante und ich ahnte Schlimmes: Unter den Bäumen saßen die Menschen auf Cola-Kästen und hatten andere Behälter zwischen sich gestellt als Abstellmöglichkeit für ihre Flaschen und Teller. Aus den Augenwinkeln konnte ich es beobachten und glaubte es kaum. Haoua hatte eine Lösung gefunden, diese vierte Variante für uns zu verhindern: Sie nahm ein Schild mit der Aufschrift "Réservé", ließ es in ihrer Tasche verschwinden und bot uns an, die umstehenden Stühle zu besetzen. Niemand hat die kleine Schwindelei bemerkt und wir hatten gute Plätze für den gesamten Abend.

Der Silvesterball fand mit geschätzten 500 Gästen bei mehr als 30°C unter freiem Himmel statt. Die Veranstalter können dabei sicher sein, dass das Wetter hält, denn in Burkina Faso regnet es im Dezember und Januar sicher nicht! Als Getränk gab es keinen Wein, keinen Sekt, kein Bier, sondern ausschließlich Cola. (Nun gut, bei den jungen Offizieren sah ich dann im Verlauf des Abends schon mal eine Flasche Whiskey unter dem Tisch stehen!) Bedienungen gab es nur bei den "First-class"-Tischen. Alle anderen Gäste stellten sich an und kauften sich das Getränk, das dann leider mal eine ganze Stunde lang wegen Nachschubproblemen vergriffen war. Zum Essen hatten die Frauen etwas von zu Hause mitgebracht.

Eine gute Musikgruppe spielte jetzt schwungvoll zum Tanz auf. Als wir registrierten, dass fast alle Paare auch wirklich aufstanden und die riesige Tanzfläche bevölkerten, forderte auch ich meine Frau auf und wir mischten mit. Es wurde ganz schön eng auf dem Tanzboden bei den vielen Gästen. Und dann geschah etwas Interessantes: Das erste Musikstück war rasch zu Ende und alle, wirklich alle Paare strömten wieder zu ihren Plätzen zurück. Nach einer kurzen Pause von vielleicht 5 Minuten wurde wieder getanzt und wieder war nach wenigen Takten alles überfüllt. An schwungvolles Tanzen war dann nicht mehr zu denken. Nachdem uns dies zweimal passiert war, überlegten wir uns eine Strategie, mit der wir zu genügend Tanzminuten kommen würden: Wir könnten doch extrem langsam zurück gehen und wenn dann die nächste Melodie erklingt, sind wir noch in der Nähe der Tanzfläche und hätten dann wenigstens ein paar Minuten freie Bahn! Und wir setzten diesen Plan nach dem nächsten Tanz auch um. Es klappte hervorragend! Ein afrikanisches Paar nur war vor uns auf dem Podium und wir legten sofort einen flotten Foxtrott aufs Parkett. Aus unerfindlichen Gründen blieb es bei diesen beiden Paaren! Woran das lag, haben wir nie erfahren. Lag es an dem Musikstück, das vielleicht sonst niemand kannte, oder gab es andere Gründe? Wir registrierten das, wir wunderten uns, aber in erster Linie genossen wir die ungewohnten Freiräume auf der Tanzfläche. Ziemlich außer Puste und recht verschwitzt kehrten wir danach zurück zum Tisch. Bevor wir irgendetwas sagen oder fragen konnten, stand Haoua auf und strahlte uns an. Einige Leute seien zu ihr gekommen und hätten sie gefragt, woher wir seien, und alle wären sie begeistert gewesen von unserem Tanzstil. Haoua war richtig glücklich!

Auch Fernseh-Kameras waren an diesem Abend vor Ort, wir wissen aber nicht, ob sie diesen unseren "Auftritt" vor die Linse bekommen haben. Zum Jahreswechsel gab es natürlich herzliche Umarmungen und diesmal zu den sonst üblichen drei Wangenküsschen ein viertes mit den Worten: "Bonne année". Um kurz vor 3 Uhr fuhren wir bei starkem Mofa-Verkehr zurück in die Sektion 17. Unterwegs holten wir noch den kleinen Moise und das Kindermädchen Simlole bei Zalas Bruder ab, wo alle Kinder der Großfamilie zusammen gefeiert hatten. Erwähnen möchte ich noch, dass wir an diesem Abend keine einzige Feuerwerksrakete gesehen und keinen Böller gehört hatten. Das kennt man in diesem Land nicht und wir waren uns einig, dass wir uns daran gut gewöhnen könnten.

Nach einem äußerst gemütlichen Neujahrstag, an dem sich die Nachbarn gegenseitig besuchten und Tanzgruppen in farbigen Gewändern den ganzen Tag über in den Hof der Familie Zala kamen, unternahmen wir am 2. Januar noch eine interessante Reise nach Bobo Dioulasso und Banfora. Davon erzähle ich in der nächsten Geschichte.

BURKINA FASO

BESUCH BEI MAMA GANOU

Heute wurden wir bereits um 4 Uhr geweckt, denn mein afrikanischer Freund Adama Zala und seine Frau Haoua (also: Adam und Eva) wollten mit uns eine Tagesfahrt in den Südwesten von Burkina Faso machen. Ziele waren Bobo Dioulasso, die zweitgrößte Stadt des Landes und Banfora, die Heimat von Haoua, mit den Wasserfällen eines Quellflusses des Voltá, der dem Land einst seinen Namen gegeben hatte: Haute Voltá, also Obervolta. Lange nach der Unabhängigkeit im Jahr 1960 wurde dann erst 1984 der heutige Name Burkina Faso (Land des aufrichtigen Menschen) gewählt. Wir starteten um 5 Uhr wieder mit einem intensiven Gebet unseres Gastgebers und auch die Polizeikontrolle am Stadtrand waren wir ja bereits gewohnt. Zum Frühstück wollte Zala in Bobo sein, wie unser erstes Ziel fast liebevoll genannt wird.

Hatte ich schon einmal den damaligen katastrophalen Zustand dieser Hauptverkehrsstraße in den Westen (N1) erwähnt? Etwa 2 km nach der Zahlstelle hörte die geteerte Straße schon auf und es ging weiter auf einer festgefahrenen Erdstraße. Trotz der sehr schlechten Straßenverhältnisse wagte es Zala hin und wieder ein sportliches Tempo zu fahren. In der morgendlichen Dämmerung konnte man dabei aber auch eine badewannengroße Vertiefung erst zu spät erkennen und die Stoßdämpfer versuchten dann auszugleichen, was nicht auszugleichen war. Nach einem solchen Erlebnis ging es dann doch etwas langsamer weiter. Geschäftstüchtige Männer nutzten diese Gegebenheiten geschickt aus: Immer mal wieder standen Männer mit einer Schaufel an einer solchen Stelle. Sie erweckten zumindest den Eindruck, als hätten sie in der letzten Stunde dafür Sand geschaufelt, damit wir jetzt nicht in ein großes Loch rauschen müssten und Zala wusste genau, was dann von ihm erwartet wurde. Er holte 200 CFA aus seiner Tasche, kurbelte das Fenster herunter und steckte dem selbst ernannten "Straßenwärter" den Schein in die ausgestreckte Hand. Beide bedankten sich höflich und weiter ging die Fahrt.

Bei Sonnenaufgang kamen wir durch ein Dorf, dort bot sich uns ein bezauberndes Bild: Die Baumwollernte des Vortages wartete zu Kubikmeterwürfeln gepresst auf den Abtransport. Einige junge Männer saßen auf diesen riesigen und oben offenen, mit weißen Baumwollbüscheln gefüllten Säcken, beleuchtet von den roten Strahlen der aufgehenden Sonne! Wir erfuhren von unserem "Reiseführer", dass Burkina Faso keine einzige Fabrik besaß, die diese Baumwolle weiter verarbeiten konnte. Deshalb wurde die geerntete Baumwolle mit Schiffen nach China gebracht und dort zu Stoffen verarbeitet. Burkina ist ein Binnenland ohne natürlichen Zugang zum Meer und so musste damals die ganze Ernte nach Elfenbeinküste zu einem gemieteten Hafen gefahren werden.

Nach dem Frühstück in einem kleinen Café brachen wir auf zum "Grand Marché". Dieses riesige, gänzlich überdachte Geviert mitten in Bobo Dioulasso soll mehr als 3200 Verkaufsstände haben. Nachgezählt habe ich nicht! Aber auch schon in den umliegenden Straßen wird verkauft und gehandelt. Etwas übertrieben kann man sogar sagen: "Die ganze Stadt, vielleicht sogar ganz Afrika, ist ein einziger Markt!" Wir sahen von weitem schon eines der im sudanesischen Stil erbauten Tore des Marktes. Gleich am ersten Stand blieben wir hängen. Zala wollte allen seinen Bekannten und Freunden in Deutschland etwas kaufen und auch ich erwarb zum Beispiel 22 Armreife für meine Schüler in Schondra: Erster Preis: 22000 CFA. Als ich ein wenig zögerte: Zweiter Preis: 16500 CFA. Ich wartete. Drittes Angebot: 11000 CFA. Die Reife wurden schon eingepackt. Da kam Haoua dazu und verhandelte weiter. Nach etwa 10 Minuten kaufte ich die Mitbringsel zum Preis von 5500 CFA und erhielt von dem glücklichen Händler noch zwei Armreife extra! Handel in Afrika! Die Menschen hier waren nicht so fotoscheu wie in Ouagadougou und mir gelangen wunderschöne Bilder von farbig gemusterten Kleidern, hübschen Gesichtern und all den für unsere Augen ungewöhnlichen und oft auch uns unbekannten Waren.

Auf dem Rückweg zu unserem Auto waren wir schwer bepackt, denn auch eine typisch afrikanische Holzsitzgelegenheit, die aus zwei kunstvoll geschnitzten Brettern bestand, war nun mein Eigentum. Wir kamen an einem Kicker Marke Eigenbau vorbei, an dem gerade ein Spielchen lief. Jugendliche im Alter meiner Schüler in Schondra waren mit Begeisterung bei der Sache. Ich schaute erst ein paar Minuten zu und als die Jungs das bemerkten, luden sie mich ein mitzuspielen. Da überlegte ich nicht lange, drückte meiner Frau den gerade gekauften und eingepackten Stuhl in die Hand und mischte ein wenig mit. Zum Abschied legte ich eine kleine Münze auf den Kicker, so wie es eben bei uns auch üblich ist, wenn man kickert. Wir sahen noch, wie ein Junge das Geldstück anschaute und ganz begeistert zu seinem Papa lief, um es ihm zu präsentieren. Zala, der das alles beobachtet hatte, klärte mich dann auf, dass das deutlich zu viel war, was ich da als meinen Obolus zurück gelassen hatte. Mir war es das aber trotzdem wert gewesen!

Noch ein wenig Sightseeing in Bobo? Da muss man mal die Moschee gesehen haben. Dieses ebenfalls im sudanesischen Stil errichtete Gotteshaus stammt aus dem späten 19. Jahrhundert. Ich traute meinen Augen kaum. Zuerst vermutete ich eine Baustelle, denn aus dem alten, gelblichen Lehmbau ragten im Abstand von etwa 2 Metern recht unregelmäßig hölzerne Stangen ungefähr einen Meter weit hervor. Ein wahrlich ungewohnter Anblick! Zala begleitete mich ins Innere der

Moschee, das auch "Ungläubige" außerhalb der Gebetszeiten betreten dürfen. Als wir aus dem grellen Sonnenlicht durch die niedrige Öffnung schlüpften, konnten wir in der Dunkelheit zunächst nicht viel erkennen. Nach und nach wurde dann aber die interessante Holzstruktur des Bauwerks sichtbar. Wir erfuhren, dass im Nachbarstaat Mali, in Timbuktu, die allerdings wesentlich größere und ältere Schwester einer Moschee in diesem Baustil zum Weltkulturerbe erklärt wurde. Auf unserem Weg hinaus aus Bobo Dioulasso fuhren wir auch am Bahnhof der Stadt vorbei, nach dem Grand Marché ein weiteres profanes Beispiel dieses sudanesischen Baustils.

Wir steuerten jetzt unser zweites Ziel an: Banfora, ganz im Südwesten von Burkina Faso. Aus dieser Ecke des Landes stammt Zalas Frau Haoua, die uns gerne ihre Mutter vorstellen wollte. Die Landschaft hatte sich verändert. Sehr fruchtbarer Boden und viel Wasser ermöglichen in dieser Region eine üppige Landwirtschaft. Blühende Mangobäume überall, riesige Zuckerrohrfelder. Wir hielten einmal an einem solchen Feld an und Zala forderte uns auf, mit ihm zu kommen. Er brach ein solches Rohr ab und jeder bekam ein Stück des Stängels; wir bissen hinein und tatsächlich: Zucker! Als wir in Banfora ankamen, stieg uns ein süßlicher Geruch in die Nasen. Wir sahen eine Art Streufahrzeug, das eine Flüssigkeit auf die Straßen der Stadt versprühte, und wir erfuhren, dass hier ein Abfallprodukt der Zuckergewinnung aus Zuckerrohr auf die staubigen Straßen gespritzt wurde. Zwei Vorteile ergaben sich daraus: Erstens verfestigte sich dadurch der Straßenbelag, so dass die rötlichen Erdstraßen länger hielten, und zweitens verringerte sich die Staubentwicklung durch den zunehmenden LKW- und Autoverkehr in Richtung Elfenbeinküste.

Zunächst wollten wir Zalas Schwiegermutter besuchen. Im Auto fragte ich meinen Freund, welches Gastgeschenk wohl angebracht und willkommen wäre. In Deutschland würden wir jetzt irgendwo einen Blumenstrauß besorgen, aber das gibt es hier ja nicht. Auf seinen Rat hin hatten wir zwar Plastikflaschen und - besteck aus dem Flugzeug mitgenommen, aber damit allein wollten wir doch nicht erscheinen.

Dann kam eine für uns überraschende Antwort: "Wenn ihr großzügig sein wollt, dann überreicht der Mutter ein kleines Geldgeschenk. Das ist hier durchaus angebracht und wird hoch geschätzt!" Er riet mir zu 5 000 CFA, was damals einen Wert von etwa 15 DM hatte. Wir bogen ein in den Hof der Familie Ganou, der von einer hier üblichen 1,5 m hohen Mauer umgeben war. Mit übergroßer Freude strömten alle zusammen, die hier auf dem Gelände lebten und arbeiteten. Umarmungen und Küsschen, Neujahrswünsche und Tränen der Freude. Etwas erschrocken waren wir, als wir sahen, dass einige junge Mädchen ihre Hände dick verbunden hatten und mit gehörigem Abstand die Begrüßung beobachteten. Ich dachte wirklich an Lepra oder eine andere ansteckende Krankheit, bis Haoua uns das erklärte: Ihre Mutter und zwei ihrer Nichten fertigten gerade Seife, indem sie stark ätzende Laugen und Fette in Wasser zum Kochen brachten und vermischten. Dann musste die wieder erkaltete Masse zu Kugeln gerollt werden. Deshalb die schützenden "Handschuhe", die wir erst falsch interpretiert hatten.

Natürlich wurden auch wir nun vorgestellt und herzlich begrüßt. Ich überreichte Mama Ganou unsere Mitbringsel und auch die Geldscheine. Völlig konsterniert schaute sie auf das Geschenk und fiel tatsächlich vor mir auf die Knie. Sie nahm meine Hand und küsste sie. Haoua erklärte uns diese Reaktion damit, dass ihre Mutter mit diesem Geld die Großfamilie etwa 3 Wochen lang ernähren könne und sie deshalb überaus dankbar sei. Zala nahm an, dass wir scheinbar gerade bei der Seifenproduktion ein wenig störten und schlug vor, zuerst einmal zum Essen in ein Lokal zu fahren. Wir versprachen, später wieder zu kommen und stiegen wieder ein. Haoua schlug vor, die Gaststätte einer von der UN unterstützten Fraueninitiative zu besuchen, aber das hätten wir besser sein lassen. Eine lustlose Bedienung nahm unsere Bestellung auf. Die Getränke kamen erst nach dem Essen. Die Speisen waren kalt und meine Spaghetti schmeckten noch dazu nach Spülwasser. Selbst ich, der eigentlich in dieser Hinsicht nicht so empfindlich ist, konnte das nicht essen. Haoua bezahlte schnell und sagte den Damen dabei deutlich ihre Meinung. Wir kehrten zurück und waren sehr dankbar, als Frau Ganou uns zu einem typischen Gericht der Region einlud, das sie für uns zubereitet hatte: Tó + Gombo sec. sowie eine Soße mit Fleisch und Fisch.

Wir saßen im Wohnzimmer mit 8 Personen um einen großen Tisch. Zunächst wurde ein kleiner Eimer herumgereicht, in dem jeder seine rechte Hand ein wenig abwaschen konnte. (Die linke Hand gilt als unrein und wird deshalb nicht beim Essen verwendet.) Teller und Besteck gab es nicht und man brauchte das auch nicht. Nachdem wir uns ein wenig umgeschaut hatten, wussten wir, wie das funktionierte: Jeder nahm ein bisschen Teigmasse in seine Finger, tauchte sie in die Schüssel mit der Soße und ab damit in den Mund. Es schmeckte ausgezeichnet und wir lobten die Köchin in höchsten Tönen.

Nach dem Essen begann der touristische Teil unseres Aufenthaltes in Banfora. Zusammen mit dem älteren Bruder von Haoua und dessen Frau machten wir uns mit zwei Autos auf zu den Cascades de Kerfiguéla, wie die Wasserfälle von Banfora auch genannt werden. Der Weg führte durch Zuckerrohrfelder und eine Allee alter Mango- und Kapokbäume. Hier bei dem Ort Kerfiguéla fällt der Fluss Comoé von den Sandsteinfelsen der Bergkette von Banfora in die Ebene. Wir hätten hier eine solch üppige Vegetation und so viel Wasser nicht erwartet und waren begeistert. Obwohl eigentlich alle Touristenführer in den Wasserfall steigen müssen, verweigerten uns Zala und Haouas Bruder, übrigens ein Lehrer wie ich, diese Attraktion. In Kerfiguéla besuchten wir noch einen Freund Zalas an dessen Haus. Seine Söhne spielten gerade Fußball auf einem nahen Bolzplatz und wir schauten auch dort einmal vorbei. Hier übten die Spieler der übernächsten Generation, die heute im Jahr 2021 vielleicht in der deutschen Bundesliga für Furore sorgen.

Das heutige Programm sah noch einen weiteren Höhepunkt vor: Den See von Tengrela mit seinen 200 Nilpferden. Die Bewohner von Tengrela bieten für die Touristen Bootstouren auf dem See an. Mit zwei kleinen aus Holz gezimmerten Kanus fuhren wir auf das ruhige Wasser hinaus, schlängelten uns zwischen den Seerosen hindurch und kamen bis auf wenige Meter an die mächtigen Tiere heran. Wer Glück hat, sieht die Tiere, wenn sie aus dem Wasser heraus kommen. Dieses Glück hatten wir nicht. Die meiste Zeit über sind die Nilpferde nämlich im Wasser. Wir sahen nur Nasen, Ohren und Augen von zwei dieser Tiere. Aber allein die abendliche Fahrt in dem Kanu auf diesem herrlichen See war Erlebnis genug. Da Zala noch einen Reifen am Pajero wechseln musste, konnten wir in der Wartezeit den Sonnenuntergang am See bewundern.

Zwei Tage später kehrten wir wieder nach Europa zurück und hatten Afrika hautnah erlebt! Bei der Landung in Brüssel hatten wir einen Temperaturunterschied von über 60° Celsius zu verkraften. So mancher afrikanische Mitreisende wurde da im wahrsten Sinne des Wortes auf kaltem Fuß erwischt.

GRIECHENLAND (INSEL SYROS)

DER VERLORENE EHERING

Im August 1976 standen die Kykladen auf unserem Reiseprogramm. Die fünf griechischen Inseln Syros, Paros, Naxos, Delos und Mykonos wollten wir in dieser Reihenfolge auf eigene Faust kennen lernen und hatten für dieses "Inselhüpfen" nichts weiter gebucht als den Hin- und Rückflug nach Athen. Von Piräus aus ging es mit einem recht großen Fährschiff zur Inselhauptstadt Ermoupolis auf Syros.

Am Hafen dieses Städtchens suchten wir den Busbahnhof und ich fragte einen Busfahrer, ob er uns etwas außerhalb einen Ort mit einem schönen Strand empfehlen könne. Trotz meiner mangelnden Sprachkenntnisse schien er verstanden zu haben, was wir wollten und führte uns zu seinem Bus. Als seine Abfahrtszeit erreicht war, begann die Fahrt durch die felsige Berglandschaft dieser Insel. Noch wussten wir nicht, wohin die Reise gehen würde. Die Spannung stieg.

Nach etwa einer Stunde schien es so weit zu sein. Unser Fahrer sagte, wir sollten jetzt aussteigen. Er wies uns den Weg von der Hauptstraße hinunter zum Strand. Dort gäbe es eine Kneipe, dessen Wirt uns auch ein Quartier besorgen könne. Wir bedankten uns und folgten seinem Rat. Tatsächlich fanden wir das besagte Gasthaus und seinen

91

freundlichen Wirt, der uns ein Zimmer bei seinen Eltern anbot. Wir durften in sein Auto einsteigen und er brachte uns zu seinem Elternhaus. Dort wurden wir von der Mama herzlich begrüßt und sie zeigte uns das "Schlafgemach" für die nächsten drei Nächte. Die ehemalige Waschküche war es wohl, die zu einem einfachen aber hübschen Fremdenzimmer umgebaut worden war. Kaum dass wir uns ein wenig frisch gemacht hatten, kam unsere Wirtin schon mit einem großen Teller mit frisch gepflückten Feigen, Äpfeln und Orangen. Auch wenn wir keines ihrer Worte verstehen konnten, die Gastfreundschaft war unverkennbar riesig.

Wir lernten auch die Tochter des Hauses kennen, die in Piräus wohnte und gerade zu Besuch war. Sie konnte ganz gut Englisch sprechen und deshalb war es für sie ein Leichtes, uns schon mal mit den örtlichen Gegebenheiten bekannt zu machen: Den besten Strand verriet sie uns, den besten Wirt (ihren Bruder) kannten wir ja schon. Wir verbrachten zwei unbeschwerte Badetage an recht einsamen Stränden der Ägäis. Immer wenn wir am Nachmittag in unser Zimmer kamen, war die Obstschale frisch gefüllt und wir konnten eines der wenigen neu gelernten griechischen Vokabeln anwenden: Evchariston poly - Herzlichen Dank! Das erste Wort dieses Ausdrucks war uns als junge Christen aus anderem Zusammenhang ja schon bekannt.

Am Abreisetag bezahlten wir nach dem Frühstück und waren überrascht von der preisgünstigen Rechnung, die wir dabei erhielten. Mit einer herzlichen Umarmung verabschiedeten wir uns und gingen zur Hauptstraße hinunter, wo wenig später auch schon der Bus nach Ermoupolis kam mit dem selben freundlichen Fahrer, dem wir ja diesen Geheimtipp zu verdanken hatten. Am Hafen der Hauptstadt kauften wir uns zwei Tickets nach Paros, der zweiten Station unserer Inseltour. Bis zur Abfahrt um 15.00 Uhr hatten wir noch genügend Zeit für einen Stadtbummel und eine gemütliche Tasse Kaffee an der Hauptgeschäftsstraße.

Wir waren sehr zufrieden mit dem Start unseres Insel-Hoppings und gespannt darauf, was uns auf Paros erwarten würde. Da fiel mein Blick auf meine rechte Hand. Da fehlte was! Mein Ehering! Ich wusste sofort, wo ich ihn hingelegt hatte - auf den Nachttisch in unserem Zimmer. Damals war es nämlich noch eine komische Angewohnheit von mir, den Ring nachts abzulegen. Auch meine Frau erschrak natürlich heftig. Sie hatte den Ring am Morgen noch dort liegen sehen, aber fest damit gerechnet, dass ich ihn - wie jeden Tag - an mich nehmen würde. Wir waren seit zwei Jahren verheiratet und ich zögerte keinen Moment mit meiner Entscheidung: Den Ring hole ich noch vor der Weiterfahrt!

Unten am Hafen hatte ich einen Taxistand bemerkt. Den steuerten wir an - die paar Drachmen war mir mein Ehering auf jeden Fall wert. Wir eilten hinunter ans Meer und kamen am Busparkplatz vorbei, wo auch unser Bus noch stand. Der Busfahrer winkte mir freundlich zu und in aller Eile erzählte ich ihm von meinem Missgeschick. Da blickte er auf seine Uhr und machte mir einen Alternativ-Vorschlag zur Taxifahrt: Ich könne mit ihm fahren. Seine Abfahrtszeit sei in ein paar Minuten. In zwei Stunden seien wir fahrplanmäßig wieder zurück. Wir überlegten kurz und willigten ein. Meine Frau blieb am Hafen zurück und drückte mir die Daumen, dass das alles auch so klappen würde.

Eine Busfahrkarte brauchte ich nicht zu lösen; der Fahrer wurde mir immer sympathischer! Also wieder ging es auf kurviger Strecke bergauf und bergab hinüber auf die andere Inselseite. Die Nervosität stieg mit den Außentemperaturen dieses Augusttages. Hoffentlich liegt der Ring noch dort! Was, wenn unsere Vermieter nicht zu Hause sind? Kann der Bus so lange warten, bis ich zu unserem Quartier und wieder zurück gerannt bin? Beschweren sich vielleicht andere Fahrgäste? Was ist mit unserer Weiterreise, wenn irgendetwas dazwischen kommt? Diesmal konnte ich die Busfahrt nicht genießen; zu viele Gedanken schossen mir durch den Kopf.

Wir erreichten das Dorf wie geplant. Die anderen Fahrgäste waren inzwischen ausgestiegen. Der Fahrer hielt in der Nähe unseres Hauses. Ich sollte aussteigen und den Ring holen. In der Zwischenzeit werde er zur Endstation fahren, wenden und dann wieder hier halten, um mich erneut mitzunehmen. Also stieg ich aus und rannte den Hügel hinauf zur Pension. Als ich das eiserne Tor zum Grundstück durchlief, entdeckte ich schon unsere Gastwirtin, die mir entgegen eilte. In ihrer rechten Hand präsentierte sie mir bereits freudestrahlend meinen Ring. Erklärende Worte waren nicht erforderlich und wären auch nicht verstanden worden. Nach einer kurzen Umarmung voller Dankbarkeit joggte ich zurück zur Hauptstraße. Das Corpus Delikti war längst wieder an seinem angestammten Platz, dem Ringfinger meiner rechten Hand. Ich wartete keine Minute, da kam auch schon mein "Großraum-Taxi" und nahm mich wieder auf. Stolz zeigte ich dem Fahrer meinen wieder gefundenen Ring und ich glaube, er war nicht weniger glücklich als ich.

Eine gute halbe Stunde vor dem Auslaufen unseres Schiffes nahm ich meine Frau wieder in die Arme und die Freude über meine rechtzeitige Rückkehr von der Aktion "Ehering" war groß. Als wir das Schiff bestiegen, schwante mir jedoch neues Unheil: Das Schiff war klein, wesentlich kleiner als die Fähre bei unserer Ankunft auf Syros. Und die Vorahnung sollte sich bestätigen, als das Boot die schützenden Kaimauern durchfahren hatte. Die Wellen machten mit ihm, was sie wollten und nahmen keinerlei Rücksicht darauf, dass mein Magen solche Schaukel-Bewegungen noch nie vertragen hatte.

WALES – IRLAND

KNAPP VORBEI IST AUCH DANEBEN!

In den Sommerferien des Jahres 1990 wollten Elisabeth und ich unseren beiden Söhnen (damals 14 und 11 Jahre alt) einmal das von uns so geliebte Irland zeigen. Zwei Reisen dorthin hatten wir vorher schon unternommen: 1971 waren wir gemeinsam mit einem befreundeten Paar im Pferdewagen durch die Wicklow Mountains gezuckelt und zwei Jahre später hatten wir die Grüne Insel - mit einigen Pferdestärken mehr - im VW Käfer (und nachts im Zwei-Mann-Zelt) erlebt. Die bezaubernden Landschaften des "Emerald", seine überaus freundlichen Menschen und die Zeugnisse seiner Jahrtausende alten Kultur hatten das Land "Eire" für uns zu einer Art Magnet werden lassen, zu dem wir uns immer wieder fast magisch angezogen fühlten.

Nach der Fähr-Überfahrt von Calais nach Dover verbrachten wir zwei Tage im Süden Englands, um die Gegend dort mal zu erkunden, und einen Tag in London, um den Kindern die wichtigsten Sehenswürdigkeiten dieser Stadt wenigstens ansatzweise nahezubringen. Ganz im Norden Londons machten wir dann noch einmal Quartier im "Travellodge", einem modernen Autobahn-Hotel bei Bedford. Unser Ziel am nächsten Tag war die Autofähre vom walisischen Holyhead nach Dublin, die wir sicherheitshalber schon von Deutschland aus gebucht hatten. Mit unserem damaligen Auto, einem

Kombi der Marke Fiat Regata Weekend Riviera, starteten wir um 9.00 Uhr mit großem zeitlichen Puffer bis zur Abfahrtszeit der Fähre um 15.30 Uhr. Der Verkehr auf der M 1 nach Norden war an diesem Samstag Vormittag schon recht lebhaft. Zwischen Birmingham und Liverpool auf der M 6 gerieten wir in einen Stau, der uns eine gute Stunde unseres eingefügten Zeitpuffers kostete.

Die Fahrt durch Northwales geriet zunehmend zu einer Hetzjagd gegen die Uhr. Die A55 war in diesen Jahren noch nicht 4-spurig ausgebaut und wir befanden uns eigentlich in einer endlosen Autoschlange, die sich in mäßigem Tempo nach Westen schlängelte. Die Straße führte durch nahezu alle Städtchen und Dörfer auf der kurvigen Strecke, deren unaussprechliche Namen in der Kleinstadt Llanfairpwllgwyngyll ihren Höhepunkt fanden. Immer wieder versuchte ich, ein wenig Zeit zu gewinnen, indem ich durch Überholmanöver unsere Position in der Schlange verbesserte. Die reizvolle Landschaft mit ihren zahlreichen, herrlichen Ausblicken auf die Irische See konnte ich kaum wahrnehmen und schon gar nicht genießen. Auf unseren Fährtickets war die Anweisung aufgedruckt, dass man spätestens 30 Minuten vor der Abfahrtszeit an Ort und Stelle sein müsse. Es wurde immer knapper! Wir hatten die Überfahrt nach Dublin doch schon bezahlt. Und ab heute Abend stand die Ferienwohnung in Crusheen, die wir gebucht hatten, für uns zur Verfügung!

Wir erreichten Holyhead kurz vor drei Uhr. Noch ein paar Ampeln und wir waren am Hafen. Ein einziges Auto war noch vor uns, als die Mitarbeiter von B&J-Ferries ihre Schranke senkten und uns damit die Zufahrt zur Fähre blockierten. Einer von ihnen deutete auf seine Armbanduhr: Es war 15.02 Uhr! Wir waren zu spät! Schnell stieg ich aus und bat um Gnade, um eine großzügige Ausnahme. Der Stau, der Verkehr! Aber: Abwehrende Gesten und konsequente Ablehnung. Auch das ältere Ehepaar im Auto vor uns war der Verzweiflung nahe. Die beiden traf es noch härter als uns, denn am nächsten Morgen heiratete ihre Tochter in Dublin und sie hatten Teile des Brautschmucks für sie im Wagen! Da überholte uns ein Omnibus in Richtung Fähre. Die Wärter öffneten die Schranke und ließen den Bus aufs Schiff. Warum dann nicht auch uns? Was tun?

In der Hoffnung, eine vorgesetzte Person zu finden, steuerte ich den Info-Container an. Dort war aber lediglich ein Verwaltungsangestellter anzutreffen, der für alle Schifffahrtslinien zuständig war. Er konnte und wollte mir in Sachen Zugang zur Fähre nicht helfen. Wenigstens ließ er mich zum Preis von einem Pfund nach Irland telefonieren, denn dort musste ich meinen Vermietern der Ferienwohnung ja mitteilen, dass wir erst am nächsten Tag eintreffen würden.

Aber wie kommen wir jetzt überhaupt nach Dublin? Um 23.30 Uhr und um 3.14 Uhr wären noch Plätze frei, erfuhren wir, auf dem Schiff der Firma "Sealink". 149 Pfund würde das kosten. Oder aber wir sollten es um 4.00 Uhr bei unserer Schifffahrtslinie "B&J" versuchen; dies hätte den Vorteil, dass wir nicht noch einmal bezahlen müssten, aber er konnte uns nicht sagen, ob auf diesem Fährschiff noch Plätze verfügbar seien. Ich ließ uns auf die Warteliste setzen und wir standen dort auf Platz drei. Das schien mir die beste Lösung zu sein mit doch recht guten Erfolgsaussichten. Außerdem würde es unsere Urlaubskasse schonen.

Jetzt hatten wir also 12 Stunden Zeit. Welch ein Luxus im Vergleich zu der Hetze an diesem Tag. Wir ließen das Auto am Hafen stehen und erholten uns ein wenig am Strand von Holyhead. Auf dem Rückweg kamen wir am Zirkus vorbei, der gerade die Stadt besuchte. Für die Kinder gab es da natürlich viel zu sehen und zu entdecken und die Wartezeit verstrich auf angenehme Weise. Als unsere beiden Buben während der Vorstellung durch ein kleines Loch ins Zirkuszelt lukten, wurden sie von einem Mitarbeiter gesehen, der gleich mal seinen Schäferhund auf sie ansetzte. Da kamen Karl-Heinz und Sebastian doch schnell wieder in den Schutzbereich ihrer Eltern. Auf einer Bank im Hafen richtete später Elisabeth das Abendessen für ihre drei Männer. Und dann ging's ins "Bett", wenn man es so nennen darf, wenn 4 Personen versuchten, im voll bepackten Fiat die Nacht einigermaßen schadlos zu überstehen - zumal der Wind in heftigen Böen am Wagen rüttelte und die zahlreichen Möwen ein fürchterliches Schreikonzert veranstalteten.

Mich hielt es da nicht lange hinter dem Steuer und ich verbrachte die Nachtstunden in dem Info-Container immer in der Hoffnung, dass wir auf der Warteliste vorwärts kämen oder gar die Zusicherung erhielten, dass es klappen würde mit der Überfahrt um 4.00 Uhr. Doch Stoßgebete wurden nicht erhört und gegen 3.30 Uhr war klar: Die Fähre von B&J hatte keinen Platz mehr für uns vier Zahlbacher Irlandfahrer. Mir blieb keine andere Wahl, als nun doch in den sauren Apfel zu beißen. Ich musste die 149 Pfund opfern und kaufte die Tickets auf der Sealink-Fähre um 11.00 Uhr. Schließlich wollte ich nicht noch einen Tag hier in Holyhead herumhängen. Mit dieser gefühlten Niederlage im Gepäck ging ich zurück zum Auto, wo Elisabeth im Halbschlaf mitbekam, dass ich den Wagen in Bewegung setzte und einen windgeschützten und möwenfreien Parkplatz in der Stadt suchte.

An tiefen Schlaf war natürlich nicht zu denken und schon recht bald wuchs der Wunsch nach einer Tasse Kaffee. In der Nähe des Bootshafens suchten wir nach einem geeigneten Plätzchen für unser Frühstück und entschieden uns für eine mit Plexiglas umwandete Bushaltestelle, was an einem Sonntag Morgen um 06.30 Uhr kein Problem mit etwaigen Fahrgästen darstellen sollte. Nur Leitungswasser gab es da nicht. Gemeinsam mit meinen beiden Söhnen machte ich mich deshalb auf die Suche. In einem der etwas oberhalb liegenden Einfamilienhäuser hatte ich schon Licht gesehen und dieses Haus steuerte ich zunächst auch an. Noch bevor wir in die Nähe des Eingangs kamen, öffnete sich die Türe und ein freundlicher älterer Herr begrüßte uns. Er hatte uns von seinem Wohnzimmerfenster aus an der Haltestelle gesehen und auch schon geahnt, was die drei Männer nun wohl vorhatten. Bereitwillig bat er uns in seine Wohnung und wenig später füllte er unsere beiden Thermoskannen mit heißem Wasser. Natürlich musste ich ihm ein wenig erzählen, woher wir kamen und was dazu geführt hatte, dass eine deutsche Familie in einer Bushaltestelle von Holyhead frühstückte. Er wünschte uns alles Gute für unsere Reise und wir bedankten uns natürlich für seine Hilfsbereitschaft.

Nach der Überfahrt von Holyhead nach Dun Loaghaire, die bei schönstem Wetter über die Bühne ging, verbrachten wir eine Woche in der gebuchten Ferienwohnung in Crusheen und danach hatten wir 7 Tage einen Pferdewagen samt Zugpferd Yokohama gemietet, um durch die Wicklow Mountains zu ziehen. Unsere beiden Söhne und auch wir denken noch heute gerne an diesen Urlaub zurück.

SCHLUSSWORT

Als mir meine Lektorin Silke vor einigen Tagen den fast fertig-
gestellten Buchblock zusandte, schrieb sie unter anderem: "Ich habe
noch ein leere Seite für ein mögliches Schlusswort eingefügt." Da dieses
Buch mein Erstlingswerk darstellt, wusste ich zunächst wenig mit
diesem "Wink mit dem Zaunpfahl" anzufangen. Heute Nacht gingen
mir dann zahlreiche Fragen durch den Kopf: Für wen schreibt man ein
Schlusswort? Ist es etwa an die Leser*innen gerichtet oder mehr an die
Freunde und Mitarbeiter? Sollte es also in erster Linie eine Abrundung
schaffen zu den 14 Kurzgeschichten oder vor allem den Dank
beinhalten für mir entgegengebrachte Dienste?

Oder kann man diesen letzten Text etwa mit einem Schluss-Plädoyer
vor Gericht vergleichen? Da würde sich die Frage erheben, ob es eher
das der Anklage oder das der Verteidigung entspräche. Diese
Gedanken brachten mich aber auch nicht weiter, denn Gott sei Dank
musste ich in diesem Metier nie Erfahrungen sammeln. Wen sollte ich
denn anklagen, wen verteidigen? Das passte nicht!

Auf der Suche nach weiteren Vergleichen fielen mir so manche
Abschlussreden ein, die ich in meiner Zeit als Klassenlehrer
ausgearbeitet und dann meinen Schülern an ihrem letzten Schultag
vorgetragen habe. Nachdenklich, rückblickend, heiter und mut-
machend waren solche Worte auf dem Weg in die von meinen

Schützlingen so sehr ersehnte Freiheit. Dabei erkannte ich aber auch kaum Parallelen zum Schlusswort eines Buches.

Gestehen muss ich in diesem Zusammenhang, dass ich sogar kurz an die Grabreden denken musste, die ich für verstorbene Mitarbeiter, Freunde oder liebgewordene Verwandte bei ihren Beerdigungen gehalten habe. Schlussworte also der endgültigen Art. Weg mit diesen Gedanken! Viel zu makaber, finden Sie nicht?

Oft war ich Reiseleiter für die verschiedensten Gruppen von Vereinen, bei Schulabschlussfahrten, für Lehrerkollegen auf Wochenendausflügen, bei Musicalfahrten mit der Volkshochschule oder bei Pilgerreisen der Pfarrgemeinde nach Rom, Israel, Irland, Portugal und Schottland. Meine mir selbst auferlegte Pflicht, in den letzten Stunden einer solchen Reise eine Ansprache an die jeweiligen Teilnehmer zu richten, hat wohl die meisten Gemeinsamkeiten mit dem Schlusswort an dieser Stelle. Auch Sie, liebe Leserinnen und Leser, waren mit mir auf Reisen, wenn auch auf eine geistige, ja fast virtuelle Weise.

Vielleicht haben Sie sich von der einen oder anderen meiner Geschichten in den Bann ziehen lassen und konnten sich dabei in meine Gefühle, meine Ängste, meine Begeisterung versetzen. Das würde mich freuen. Vielleicht haben Sie sich auch gefragt: "Wie ist es möglich, dass er nach so vielen Jahren noch solche Einzelheiten parat hat?" Geht es uns allen doch auf Reisen so, dass man manchmal schon am nächsten Tag nicht mehr weiß, was man zuvor Schönes erlebt hat.

Die Antwort liegt in der Tatsache, dass ich auf vielen meiner Reisen Tagebuch-Aufzeichnungen gemacht habe. Nur so war es möglich, dass ich zum Beispiel nach 42 Jahren noch den Namen des Hotels in Pucallpa oder die Bezeichnung der dortigen Lagune verwenden konnte. Auch meine vertonten Super-8-Filme bzw. Videos und meine beschrifteten Fotoalben konnten mir in solchen Fällen wertvolle Hilfestellungen geben.

Viele dieser Geschichten habe ich erlebt auf Reisen gemeinsam mit meiner Frau Elisabeth Kuhn, geborene Albert. So manche Details verdanke ich ihrem ausgezeichneten Erinnerungsvermögen. Sie war auch die erste Kritikerin mit Bemerkungen wie: "Das kannst du doch so nicht schreiben!" oder "Das Schlafgemach auf Syros war eine zum Gästezimmer umgebaute Waschküche!"

Die bereitwillige Mitarbeit meiner Nichte Silke Kuhn habe ich schon erwähnt und hat mich ganz besonders gefreut. Die Erstellung des Buchblocks nahm sie in ihre Hände und gerne ging ich auf so manchen ihrer Formulierungsvorschläge ein. Dem Verlag "Books on demand" danke ich für die zahlreichen Ratschläge und Durchführungshinweise.

Zum Abschluss eine Bitte an meine Leser*innen: Welche Geschichte hat Ihnen besonders gut gefallen? Wo ist es mir gelungen, Sie in den Bann eines Ereignisses zu ziehen? Schreiben Sie mir an meine Mail-Adresse: kuhn-burkardroth@t-online.de

Herzlichen Dank im Voraus!
Walter Kuhn

Mein Limerick zum Buch

Es gab mal 'nen Lehrer in Zahlbach,
der dachte an Reisen gar mehrfach.
Er wollt' nach Peru.
Da drückt' ihn der Schuh.
Drum fuhr er halt nur bis nach Aschach.

Du musst es mir heut' wirklich glauben,
Sein Buch wird den Atem dir rauben!
Krokodile er ritt,
Seine Frau machte mit.
Sie lieben den Saft edler Trauben.

Lightning Source UK Ltd.
Milton Keynes UK
UKHW020636080621
385138UK00011B/943